401   £ 50

Les indésirables

DU MÊME AUTEUR

Femmes de dictateur, Perrin, 2011 ; Pocket, 2012.

Femmes de dictateur 2, Perrin, 2012 ; Pocket 2013.

Les Derniers Jours des dictateurs, Perrin, 2012 ;
Pocket, 2014.

Corpus equi, Perrin, 2013 ; Pocket, 2014.

La Chair interdite, Albin Michel, 2014 ; J'ai lu, 2016.

L'homme idéal existe. Il est québécois, Albin Michel,
2015 ; J'ai lu, 2017.

Lady Scarface, Perrin-Plon, 2016.

La meilleure façon de marcher est celle du flamant rose,
Flammarion, 2018.

DIANE DUCRET

Les indésirables

J'AI LU

Indulgents spectateurs, ne blâmez point
Ce faible et vain sujet,
Et ne le prenez que pour un songe.
Si vous faites grâce, nous nous corrigerons...
Adieu ; bonne nuit à tous.

Shakespeare, *Le Songe d'une nuit d'été*

Note de l'auteur

Les personnages présentés dans ce livre ainsi que les événements jalonnant leur destinée sont les fruits de l'imagination de son auteur, poussés à partir des graines de la réalité. Chacun d'entre eux est inspiré de personnes ayant existé et ayant eu la force, le courage de témoigner de ce qu'elles avaient vécu à Gurs. L'auteur invite ses lecteurs à faire connaissance avec ceux qui sont à l'origine de ce texte.

Le personnage d'Eva Platz est né de la découverte du texte d'Hanna Schramm, *Vivre à Gurs* (avec Barbara Vormeier, Maspero, 1979). Son récit unique sur les conditions de rétention des femmes indésirables en France, a donné à l'auteur l'envie d'écrire ce livre. Sa voix toujours positive malgré les privations et les souffrances est celle qui a nourri l'esprit de rébellion d'Eva Platz. Sa fuite de l'Allemagne nazie ainsi que sa rafle terrible sur le sol français sont inspirées par les mots de Laure Schindler-Levine, *L'impossible au revoir, 1933-1945* (L'Harmattan, 1999), une des victimes de cette chasse aux Indésirables.

Le personnage d'Eva Platz est également indissociable du texte poignant d'Eva Lewinski, rédigé par ses trois enfants, Kathy, Tom et Peter Pfister, disponible aux archives de l'Amicale du camp de Gurs. Sous la plume de ses enfants est retranscrit le journal intime d'une survivante dont les mots forts et pénétrants habitent le roman à plus d'un titre. Quelques passages du journal d'Eva Lewinski sont reproduits à l'identique dans ce roman. Les lettres d'Eva Platz et son histoire d'amour avec Louis prennent source dans des passages du journal d'Eva Lewinski qui étaient destinés à l'homme qu'elle aimait, Otto Pfister, un Allemand qui s'était engagé avec elle dans la résistance antinazie pendant plusieurs années à Paris et qui avait alors été fait prisonnier par les Nazis en Allemagne. Car c'est bien son inaliénable force d'aimer qui définit le personnage d'Eva Platz. L'auteur est tout particulièrement reconnaissante à la famille Pfister d'avoir rapporté la vie et les mots de leur mère dans l'article, « Eva Lewinski Pfister au camp de Gurs, Son Journal et Notre Voyage » (traduit par Marie-Hélène Hammen dans le Bulletin trimestriel de l'Amicale du Camp de Gurs, 2014), également disponible à la Bibliothèque du Mémorial de la Shoah à Paris ainsi qu'au U. S. Holocaust Memorial Museum à Washington D.C. Ainsi, ils ont rendu accessible aux lecteurs des *Indésirables*, et au reste du monde, un récit de courage, d'humanité et d'émerveillement.

Le personnage de Lise Mahler, est né quant à lui de la lecture du témoignage aussi bouleversant qu'instructif, de Lisa Fittko, *Le Chemin des Pyrénées. Souvenirs, 1940-1941* (trad. Léa Marcou, éditions Maren Sell, 1987), qui avait elle aussi fui l'Allemagne accompagnée de sa mère. Les rapports profonds et délicats qui lient Lise à sa mère ont été inspirés des adieux déchirants qu'elle y narre. Le récit de Lilo Petersen, *Les Oubliées* (éditions Jacob-Duvernet, 2007) est à l'origine de la description poétique de la réalité brutale du camp à travers les yeux de Lise. Sa romance avec le prisonnier espagnol Ernesto trouve quant à elle naissance chez Hanna Schramm, dans le témoignage cité plus haut.

Le personnage de Bianca est inspiré par la vie d'Hella von Tarnow-Bacmeister, telle qu'en témoignent ses enfants, David et Paloma Tulman dans les textes *Victor et Hella Tulman* publiés dans « Gurs, souvenez-vous », Bulletin de l'Amicale du camp de Gurs, n° 124 (p. 6 à 10, septembre 2011), et n° 128 (septembre 2012).

Elsbeth Kasser, membre du Secours suisse, infirmière du camp de Gurs, ainsi que le Commandant Davergne, chef du camp de Gurs du 1er juin 1939 au 26 novembre 1940, ont réellement existé. L'auteur a souhaité, en mentionnant leur identité réelle, rendre hommage à leurs actes de dévotion et de bravoure trouvés dans de nombreux témoignages écrits, qui permirent à nombre d'hommes, de femmes et d'enfants de survivre.

Les poèmes d'Hannah Arendt sont extraits du livre *Hannah Arendt, Martin Heidegger, Lettres et autres documents (1925-1975)*, édités à partir des Fonds Arendt et Heidegger par Ursula Ludz et traduits de l'allemand par Pascal David (Éditions Gallimard, 2001).

Les livres de Mechtild Gilzmer, *Camps de femmes. Chroniques d'internées, Rieucros et Brens, 1939-1944*, (éditions Autrement, 2000), de Claude Laharie, *Le camp de Gurs, 1939-1945 : un aspect méconnu de l'histoire du Béarn*, (éditions Atlantica, 1985), de Suzanne Leo-Pollak, *Nous étions indésirables en France* (éditions Traces & Empreintes, 1995), ont permis, parmi d'autres, nombreux, de mieux cerner la dureté des conditions d'internement au camp de Gurs, ainsi que son atmosphère artistique.

L'auteur souhaite enfin saluer le travail d'archive de l'Amicale du camp de Gurs, sans lequel ce livre n'aurait pu être écrit.

Avis à la population

Les ressortissants allemands, sarrois, dantzikois et étrangers de nationalité indéterminée, mais d'origine allemande, résidant dans le département de la Seine, devront se conformer aux prescriptions suivantes :

1. Les hommes de 17 à 55 ans rejoindront le Stade Buffalo à Montrouge.

2. Les femmes célibataires et mariées sans enfant rejoindront le Vélodrome d'Hiver, le 15 mai 1940.

Ceux qui contreviendraient à cet ordre seront mis en état d'arrestation.

Les étrangers visés ci-dessus pourront, à leurs frais, prendre le chemin de fer ou tout autre transport public pour rejoindre le centre de rassemblement assigné.

Ils devront se munir de vivres pour deux jours et du matériel nécessaire pour leur alimentation. Y compris les vivres, ils ne devront pas avoir plus de 30 kilos de bagages.

12 mai 1940
Général Héring
Gouverneur militaire de Paris

PREMIÈRE PARTIE

Le mois de mai vient d'éclore sur Paris. Aux terrasses des cafés, les robes des femmes se tournent vers le moindre rayon, le moindre regard. On peste après un serveur trop lent, on replace une mèche de cheveux quand celui-ci arrive enfin, on échange des banalités en s'arrachant les premières nouvelles de la matinée avant de s'engouffrer dans les boyaux du métropolitain. Paris au printemps, c'est toujours la même rengaine, et c'est tant mieux. Le soleil a le don de faire oublier aux hommes les frissons de l'hiver, la vue d'un bourgeon, d'une jambe nue dissipe les tourments. Mais au milieu du printemps éclate une mémorable tempête.

Depuis une dizaine d'années, on entendait trembler le sous-sol du Vieux Continent, jusqu'à ce qu'une terrible tectonique des nations perce soudain une brèche immense. Quelque chose avait grandi sous la surface. Au mois de septembre 1939, la première secousse se fait sentir. L'Allemagne piétine la Pologne. Deux jours plus tard, la France alliée à son voisin anglais déclare la guerre à cet Hitler. Sept jours sont nécessaires pour créer un monde qu'il faut si peu de temps pour décider de détruire. Le raz-de-marée s'annonçait sur les rives de l'Europe.

On ne parle que de cela cette année, la guerre. Certains la pensent nécessaire pour purger la violence de toute une génération d'hommes, parfois deux. D'autres s'opposent avec ardeur. Ah, l'exécrable guerre, la pitoyable vanité de ceux qui veulent la faire ! On écrase un ennemi, il en repousse dix, on sème les ruines dans les villes, on salope les campagnes, au nom d'une victoire que personne n'obtient. Les esprits s'échauffent, on s'écharpe, et l'on finit par se battre aux terrasses de cafés entre Français, puisque l'ennemi ne le fait pas. Voilà l'éclosion de ce mois de mai 1940.

L'ennemi ne semble pas se décider, on a beau regarder, on ne voit rien venir, cela fait déjà huit mois que cela dure, si bien qu'on finit par la trouver drôle, cette guerre. Et avec le retour du printemps, elles sont bien loin, l'odeur du sang et l'idée de la mort, si ce n'est dans la mémoire de quelques gueules cassées qu'on trouve rabat-joie. Les corolles des Parisiennes continuent de bruisser sur les pavés, rien ne peut arriver à Paris, la Ville Lumière jamais ne peut s'éteindre.

Comme un vent d'est terrible, le 10 mai à 5 h 35, les forces de Hitler déferlent sur les Pays-Bas en un éclair, aplatissent la Belgique et fondent sur le sol français, à Sedan. L'armée ploie sous la Wehrmacht. Maîtresse du ciel, la Luftwaffe mitraille les routes, pilonne les communications, disperse les millions de réfugiés qui, à pied, à bicyclette, prennent la route du

Sud loin des hostilités. Le Reich, à l'efflorescence violente, ne tolère d'autre variété que la sienne, partout tant de bourgeons déracinés. Il est en marche vers Paris à pas de géant, chaussé de bottes de sept lieues. L'Allemagne en armes, la France en larmes.

On ne rit plus. Tous les étrangers en provenance d'Allemagne, les apatrides de lointains pays affiliés au Reich sont priés de se présenter sans délai dans des centres de rassemblement. Telles sont les mesures prises par le gouvernement français contre la « cinquième colonne » qui menace le pays de l'intérieur. Le bon grain doit être séparé de l'ivraie. La chasse à la femme indésirable, l'étrangère, la célibataire, la sans-enfants, a commencé.

Peu de temps auparavant, la France avait pourtant ouvert ses bras aux malheureux qui fuyaient l'ogre. Pour leur origine ou pour leurs idées, des milliers d'Allemands réfractaires au nazisme et de Juifs de Belgique, de Pologne, avaient été étiquetés opposants politiques. Ils arrivent chaque mois, toujours plus nombreux, ne sachant où aller. On les héberge en hâte dans des hôtels modestes, des casernes désaffectées. L'opinion publique tremble de voir ces étrangers devenir leurs voisins. Parmi eux, combien d'indésirables prêts à se retourner pour mordre la main qui les nourrit ? On fait avec, pour se distinguer de l'inhumanité de celui que l'on pointe du doigt.

Mais quand Hitler emporte soudain la guerre éclair, il faut bien les arrêter.

Par petits groupes, des agents de police interrogent les passants et vérifient leur identité, une épuration que l'on pense nécessaire à la sécurité de la France. Les femmes indésirables ont jusqu'à 17 heures pour se présenter de leur propre chef au Vélodrome d'Hiver, les autres, on ira les chercher. Il y a celles qui s'exécutent et entassent dans leur valise au cuir avachi traîné sur les quais de gare depuis Vienne, Prague ou Berlin les objets qui font leur vie. Fourchette, quarts et cuillères, la robe portée au dernier bal d'été, le collier de grand-mère, un miroir, une lettre, un crayon et puis des bas.

C'est impensable ce que la belle saison où renaissent les fleurs peut receler de déchirements et de révolte.

1

« Allemands ! N'achetez pas dans les grands magasins et commerces juifs ! »

Plantée devant le petit atelier de couture du *Nikolaiviertel*, Lise, interdite, lit les mots tracés au pinceau noir sur une affiche blanche. À la porte, deux uniformes noirs de la SS font fuir les clients ou les empêchent d'entrer. Frieda, sa mère, lui fait à travers la vitre un signe de la main pour la rassurer. Lise regarde à nouveau la pancarte, le mot JUIF souligné d'un trait épais. Elle a, comme souvent les jeunes gens de vingt ans, un sentiment de révolte nourri par celui d'injustice. « Cela ne fait rien, nous ouvrirons demain », crie Frieda dans le dos des soldats, modelant un sourire sur son visage jusqu'à ce que sa fille tourne les talons. Sur le chemin du retour qui la mène à leur petit appartement du quartier de Saint-Nicolas, Lise est happée par une foule dense. Cent cinquante mille personnes défilent dans Berlin ce 1er avril 1933, bientôt rejointes par presque autant d'adolescents membres des Jeunesses hitlériennes. Des gosses en culottes courtes qui arborent un poignard dont la lame porte les mots « sang et honneur » et le manche l'insigne du parti. Son père est tombé sous le drapeau allemand lors du dernier conflit mondial, et maintenant cela ! La horde s'emballe et crie des slogans nationalistes. Lise se recroqueville sur elle-même comme un animal surpris par un prédateur puis sort de la foule avec une certitude qui lui vient des entrailles, il fallait quitter cette terre qui s'ouvrait à présent sous leurs pieds.

Le lendemain matin sous leurs fenêtres la rue est calme, au sol les tracts de la veille étouffent le bruit des pas. Lise rejoint sa mère à la cuisine et la trouve comme à son habitude silencieuse face à son bol de café, le visage à peine troublé. Le moindre de ses gestes, tout en retenue, est celui d'une femme qui accepte son sort. « On ne peut pas vivre avec l'impression de déranger », lâche Lise, annonçant à Frieda sa volonté de gagner le monde libre, Paris, dût-on pour cela traverser l'Europe. En un instant la décision est prise, monter dans le premier train, tout laisser derrière soi, même le corps de celui qu'on appelait papa, même son nom.

Après la Hongrie, la Tchécoslovaquie puis l'Italie, elles échouent sur la rive droite de la Seine, et louent une mansarde près des Buttes-Chaumont. Enfin elles peuvent respirer sans que leur poitrine soit étreinte par l'angoisse d'être rejetées ! Frieda trouve rapidement un emploi auprès d'une femme fortunée qui a besoin de faire reprendre toute sa garde-robe. Les soucis de la guerre l'avaient élargie. Elle n'a pas grossi, c'est de l'aérophagie selon ses dires. Une robe de velours bleu nuit, épaisse et richement travaillée menace de céder aux coutures, et la bonne dame l'offre à sa couturière pour la remercier de sa discrétion. Elle est un peu passée de mode, avec sa jupe longue, son corsage cintré, et son col montant jusqu'au milieu du cou. Mais ce qui vient de Paris ne se jette pas, Frieda la met à la taille de Lise.

Que faire avec une robe d'apparat, quand on est une réfugiée ? Se rêver en étudiante, aller respirer l'air de la libre pensée à la Sorbonne. Lise soulève sa longue jupe pour gravir les six marches qui séparent la cour du parvis allongé comme un tapis devant la chapelle sur lequel trônent deux figures, Victor Hugo et Louis Pasteur, symbolisant la grandeur du siècle précédent. Les étudiants vont et viennent, l'air affairé, elle les observe comme derrière une vitre. Elle pourrait être l'un d'eux, si seulement elle parlait français ! Les femmes portent les cheveux courts et crantés sous un chapeau cloche. Leurs yeux sont maquillés de khôl, leurs cils épaissis de mascara, on dirait de petits papillons battant des ailes. Leurs lèvres sont d'un rouge ! Elles enveloppent d'épaisses fourrures leurs silhouettes affinées par des jupes qui découvrent le mollet, arrivant au moins quarante centimètres au-dessus du sol, qu'elles foulent avec des chaussures noir et blanc à talons, avec une bride sur le dessus. Tout est si différent de Berlin ! La pudique Lise n'en revient pas. Elle n'a jamais connu d'homme, n'a pas encore été caressée par l'un d'eux, ni d'une main, ni d'un regard. Ces femmes-là lui semblent dotées d'une féminité à la sophistication naturelle. Elles dansent, parlent, fument avec dextérité, conduisent, aiment. Tout un monde à conquérir, et surtout taire à sa mère.

Hélas ! Ébranlée par le voyage et la perspective d'une nouvelle guerre dont elle porte chaque jour en son cœur le fardeau, la brave Frieda souffre de crises de tremblements de la main droite. Bientôt sans logement, sans meubles, il faut survivre. La France accueille les étrangers mais ne donne pas de permis de travail.

Au cours de ses déambulations devant les cafés, essayant d'apprendre le français en déchiffrant les menus, Lise voit l'avis « recherche filles » sur la devanture d'un établissement du quartier des Halles. Le nom à l'entrée manque de la faire fuir, *Au Sabot de Cochon*, mais faute de grive on mange du groin. L'exil a pris le pas sur son avenir, elle n'a aucune connaissance spécifique pour exercer un métier : un emploi de serveuse, cela n'est pas si indigne, après tout. Dans la salle aux lourds rideaux rouges et aux tables d'acajou, le patron se fait attendre. « Déshabille-toi », lui intime une voix appartenant à un homme joufflu qui s'assoit sans se présenter. Lise se demande si elle a bien compris, son français est encore très imparfait. « Allez, retire ton manteau. Voilà. Maintenant lève ta jupe ! Je veux voir tes jambes. En entier ! Ça vient, oui ? » Sur les joues du patron, une constellation de vaisseaux rougis sous l'effet du vin et de l'empressement. L'équivoque n'est guère possible. Il y a un cochon de trop dans cet établissement ! Ces Français et leurs mœurs étranges ! Elle a

24

mal lu, l'homme recherche des « girls » pour une revue et se soucie peu de sa capacité à porter un plateau.

Lise, la tête lourde, le cœur vide, les talons usés, décide de trouver refuge au Sacré-Cœur. Là-haut, elle contemple les toits de la capitale au crépuscule rosé. Des petits, des grands, des chics, des délabrés, et toujours cette fumée. À la nuit tombée, descendant de Montmartre, elle s'imagine sous les lampadaires marcher au bras d'un Français. Il ferait des cercles avec sa fumée de cigarette. Ils iraient au restaurant. Elle élabore le menu de leur dîner. Un tournedos Rossini avec de la purée de céleri-rave, ou même… des escargots, des huîtres, ce qu'elle n'avait jamais pensé manger un jour. Et en dessert quelque chose avec de la chantilly, de la crème et des fruits. Rien ne serait bouilli, tout serait farci ou confit, ce serait merveilleux.

L'esclandre qu'elle a fait devant le *Sabot de Cochon*, rudoyant le patron de son accent germanique, ponctuant ses phrases d'insultes en yiddish, lui a attiré la sympathie du cafetier d'à côté qui cherche par tous les moyens à faire concurrence à son voisin. Ainsi, la mère et la fille obtiennent un logement à Châtenay-Malabry, dans la Cité-jardin de la Butte-Rouge, la première Habitation à Bon Marché de France, à quelques dizaines de kilomètres de Paris. Pour cela, elle doit laisser la Sorbonne aux femmes sophistiquées, auxquelles elle sert maintenant du vin, du chocolat. Elle jure si bien en français qu'elle en fait oublier son origine allemande.

Et ce jour de mai 1940, la voilà convoquée au Vélodrome d'Hiver.

Que va devenir Frieda ? Lise lui a confié ses économies, deux cents francs en billets, mais combien de temps cela suffirait-il ?

Les adieux sont rapides. Lise écarte le châle bleu marine qui recouvre la tête de sa mère pour l'embrasser une fois encore et lève les yeux vers les fenêtres de leur deux-pièces. Une robe d'été sur une corde à linge, la fenêtre ouverte sur un rideau à carreaux, une pousse de thym, c'était chez elles. La vieille Frieda passe la main dans les cheveux noirs de sa fille unique. Ils sont épais, libres malgré la raie stricte qui les divise en leur milieu, soulignant la symétrie du visage au teint diaphane. Coiffant de ses doigts celle qui, il n'y a pas si longtemps, était encore son petit oiseau, elle détourne le regard de ses yeux bleus, si purs que son âme s'y reflète, à l'ombre du sourcil épais. Sa physionomie évoque un clair-obscur dont se dégage un sentiment d'harmonie à peine contrarié par sa condition d'exilée. L'étreinte dure plus que jamais, on ne sait laquelle des deux réconforte l'autre, aucune n'est prête à lâcher prise.

« Si tu as faim, chante ; et si tu as mal, ris. Profite du temps, tant qu'il est présent », glisse Frieda à l'oreille de Lise. Le chauffeur presse l'accélérateur pour montrer son agacement, Lise se hisse dans l'autobus sans pouvoir dire un mot. À travers la vitre, elle regarde encore sa mère et observe la géographie de son visage, accidentée par les joies et les peines, celles voulues et celles subies, la rivière de larmes dans la vallée de ses yeux. Seule, au milieu de la route et des immeubles de brique rouge parmi les arbres en fleur, elle lui semble toute petite, elle qui avait toujours été sans âge, puisque c'était maman.

Dans l'autobus qui l'emmène loin d'elle, elle regarde à l'extérieur les femmes qui courent, tenant fermement leurs enfants par la main, pour les mettre à l'abri, trouver une voiture, fuir, partir loin, et se demande pourquoi les mères ne doivent pas aller au Vélodrome d'Hiver et qui a eu l'idée d'un si cruel classement entre les femmes. Elle serre sa petite valise en cuir brun qui l'a suivie depuis Berlin près de son cœur. Elle n'avait pas eu les moyens de s'en offrir une nouvelle et pensait ne plus jamais en avoir besoin.

*
* *

Allô, allô ? Lebrun !
Quelles nouvelles ?
Sur le front depuis quinze jours,
Au bout du fil
Je vous appelle ;
Que trouverai-je à mon retour ?

Tout va très bien, monsieur le Maréchal,
Tout va très bien, tout va très bien.
Un petit rien, si peu original,
Vraiment trois fois rien :
Une broutille très banale,

Les Allemands arrivent en char
Alors qu'on est à cheval
On finit tous à l'hôpital
Mais, à part ça, monsieur le Maréchal
Tout va très bien, tout va très bien.

Allô, allô ? De Gaulle !
Quelles nouvelles ?
Nos hommes finissent à l'hôpital !
Expliquez-moi
Général fidèle,
Comment cela s'est-il produit

Cela n'est rien, monsieur le Maréchal,
Cela n'est rien, tout va très bien.
Un petit rien, si peu original,
Vraiment trois fois rien :
Ils ont péri
Sous le feu des nazis
Qui détruisent nos villages.
À Courrières, dans l'Pas-de-Calais,
Près de cinquante ils ont assassiné
Et toute la ville ont incendié
Mais pas de soucis
Il reste deux maisons, une boulangerie
Mais, à part ça, monsieur le Maréchal
Tout va très bien, tout va très bien.

Allô, allô ? Blum !
Quelles nouvelles ?
Nos villes sont donc brûlées ?
Expliquez-moi
Mon ministre modèle,
Comment cela s'est-il passé ?

Cela n'est rien, monsieur le Maréchal,
Cela n'est rien, tout va très bien.
Un petit rien, si peu original,
Vraiment trois fois rien :
S'ils ont brûlé le Pas-de-Calais
Et à Aubigny achevé nos tirailleurs sénégalais
C'est qu'ils sont en route vers la Marne
Et seront bientôt dans le Cantal
Mais, à part ça, monsieur le Maréchal
Tout va très bien, tout va très bien.

Allô, allô ? Auriol !
Quelles nouvelles ?
La France est donc envahie !
Expliquez-moi
Car je chancelle
Comment cela s'est-il produit ?

Eh bien ! Voilà, monsieur le Maréchal,
Apprenant qu'il avait envahi les Polonais,
Les Français et les Anglais ont voulu le défier
Et m'sieur Hitler pour la guerre s'est décidé,
Depuis les Panzerdivision
Traversent tous les ruisseaux
Brûlent tous les châteaux
Bientôt ils auront la ligne Maginot
À eux la France de bas en haut ;
Mais, à part ça, monsieur le Maréchal,
Tout va très bien, tout va très bien.

2

Midi sonne depuis les cloches de Notre-Dame, provoquant l'envol de quelques pigeons engourdis qui vont se poser, à quelques centaines de mètres de là, sur l'horloge moins ronflante de la gare de Lyon. Eva ferme les volets de son petit deux-pièces, au deuxième et dernier étage d'une maison à colombages de l'avenue Daumesnil. Il fait indécemment beau ce 15 mai 1940, pas un seul nuage auquel accrocher sa grisaille intérieure. Mais Eva n'est pas d'humeur à se laisser abuser par un ciel bleu.

Depuis quelques semaines, dans les rues de Paris, on s'écarte au passage d'un accent allemand. Les vieilles connaissances changent de trottoir pour ne pas avoir à vous saluer, les voisins pressent le pas dans l'escalier. Des masques à gaz ont été distribués aux habitants, et dans chaque immeuble, les caves sont examinées en vue de leur utilisation comme abri. Souvent minuscules ou insalubres à proximité de la Seine, on doit mesurer combien pourront s'y réfugier en cas de besoin. Lors des alertes à la bombe, elle sent le souffle de ses voisins apeurés entassés dans le réduit lui murmurer, vous êtes coupable. C'est un peu votre faute, voilà ce qu'elle lit dans chaque regard qu'elle soutient désormais.

Elle ressent le besoin d'oublier. Oublier quoi, tout, à commencer par elle-même. La musique seule peut encore lui donner ce vertige. Dans la pénombre du salon, le piano semble plus grand que jamais, un navire au milieu d'une mer sombre. Elle s'assoit, reste un instant immobile, ses doigts graciles comme en suspension au-dessus des touches, ne sachant que jouer. Les premières notes se dessinent. En quelques accords, la sonate de Beethoven gonfle son âme. Le piano souffle un vent délicieux et salutaire tandis qu'elle est au large, un clair de lune sous le soleil de midi. La pianiste munichoise fête seule ses trente-six ans sur terre. Son caractère, autrefois si gai, est devenu mélancolique depuis sept ans qu'elle vit en France, sans cesse habitée par les souvenirs du passé. Une sonate, et la voici en 1933, le 15 août, à Bayreuth.

En tant que brillante pianiste bien née de Munich, Eva était invitée par Winifred Wagner au festival annuel de musique. Quelle joie de pouvoir assister aux récitals donnés par les plus illustres interprètes du monde réunis en un lieu ! Sur le chemin du palais des festivals, elle s'était mêlée aux milliers de gens qui affluaient de partout. D'autres faisaient déjà le pied de grue devant le portique de l'entrée pour acclamer le plus grand, celui que tout le monde attendait, Herr Hitler. À son arrivée, sur le balcon du premier étage, la fanfare de l'orchestre s'était mise à jouer un air de *L'Or du Rhin*, et la foule avait applaudi à tout rompre. Eva s'était sentie mal à l'aise face à une telle ferveur. Dans la salle, elle observait le public. Tous les yeux étaient tournés vers la loge du Führer. Les femmes gonflaient la poitrine, les hommes voulaient imiter son air. Dans le cercle de la haute bourgeoisie, on le trouvait délicieux, on en redemandait. Lorsque la fin de la représentation avait sonné, Hitler avait traversé la foule qui s'était écartée devant lui comme une mer ; les notables de Bavière cherchaient à lui serrer la main. Eva se tenait sur son passage. Il n'était pas plus grand qu'elle et, lorsqu'il arriva à hauteur de son visage, elle ne vit que ses yeux bleus, extraordinairement brillants. Il avait saisi sa main qu'elle avait levée machinalement et l'avait approchée de ses lèvres ; elle avait été parcourue d'un frisson qui ne l'avait plus quittée. Quelques jours plus tard, Eva était partie, seule avec ses partitions, pour Paris. Le voyage avait été long, l'été s'attardait.

Ses mains continuent de jouer, et les notes la ramènent dans ces journées où elle se sentait si seule dans cette ville étrangère. Au bois de Boulogne, où elle aimait se promener, près de la Grande Cascade, elle avait rencontré une fin d'après-midi un jeune homme en gants blancs. Il lui avait proposé de rester contempler les étoiles le soir venu. Ils s'étaient allongés sur une couverture de laine et il lui montrait les constellations, du bout de la canne qu'il avait empruntée à l'homme dont il était le chauffeur. Eva écarquillait les yeux en regardant la voûte céleste particulièrement dégagée ce soir-là. Les heures passaient lentement, tandis que la lune montait dans le ciel, et elle était absorbée par la course des astres. Être main dans la main sous les étoiles, Eva ne voyait pas de plus grand plaisir. Son compagnon, lui, commençait à s'impatienter, car Monsieur allait bientôt sortir du théâtre, et le temps était compté. La naïveté de cette Allemande aux cheveux d'or qui fixait bêtement le ciel l'agaçait. Il l'avait plantée là, était reparti dans la Citroën Rosalie bordeaux dont il avait pris soin de faire claquer la portière pour bien montrer sa frustration. Paris valait bien un désagrément amoureux.

Elle avait gagné le quartier de Montparnasse et le café de la Coupole, où elle jouait certains soirs de semaine pour payer son loyer. Sa tristesse s'était dissipée lorsqu'elle avait rencontré Louis. Un gaillard bâti comme elle en avait peu vu, la carrure germanique, le teint français. Les cheveux plaqués en arrière, les sourcils tombant légèrement, la mâchoire carrée, il avait quelque chose d'indescriptible, une allure, un charme. Ils avaient bu, puis ils avaient dansé. Leurs corps s'étaient cherchés, soupesés, avaient trouvé un rythme commun. À la faveur d'un changement de musique, ils s'étaient rapprochés et il avait passé sa grande main autour de sa taille. Leurs pieds se déplaçaient lentement sur le sol, chacun était devenu le miroir de l'autre. Puis il s'était mis à parler d'une voix profonde qui lui avait fait oublier en un instant qu'il existait d'autres hommes.

Louis était ébéniste et communiste. Né en 1900, près de Roubaix, il avait intégré une petite organisation de travailleurs immigrés dont la raison de vivre était de promouvoir la résistance anti-hitlérienne. Il distribuait des tracts, organisait des rencontres, procurait du travail aux réfugiés. Par amour ou par conviction, Eva avait rejoint elle aussi l'organisation. Il avait fait sa demande le 1er mai 1940, un simple brin de muguet avait fait office de bague. Un informateur proche de l'armée avait averti Louis de l'imminence d'une offensive allemande. Il s'était engagé le 7 mai dans une mission de résistance au Luxembourg. Hélas, le lendemain, le pays était occupé par la Wehrmacht, qui réprimait dans le sang toute rébellion.

Les minutes et les notes défilent sous ses doigts, sur le piano docile. Fermeté, solennité, tendresse, tout revit en elle. Elle le revoit assis dans le fauteuil, redressant la tête à chaque mouvement, les yeux fermés, l'âme tendue vers elle. Les larmes coulent, les doigts hésitent, le souvenir lui fait mal.

Paris,
15 mai 1940
Cher Louis,

Comme je ne sais où t'écrire, j'écris pour moi, dans l'espoir qu'un jour tu me liras. Laisse-moi remplir ces lignes pour encore me lier à toi, remplir le vide que tu as laissé depuis une semaine déjà. J'ai vécu à Paris presque cinq ans avant toi, mais je ne suis pas sûre de pouvoir y vivre après toi. En voyant ton train quitter la gare de l'Est, j'ai eu la sensation que tu emmenais avec toi un peu de moi, j'étais une femme parce que tu étais mon homme. Les heures qui ont suivi étaient dures, Louis, si dures. Je me suis retrouvée dans notre appartement, face à des objets que la vie avait quittés. L'idée de ne plus te voir, de ne rien savoir sur ton sort, de ne pouvoir imaginer tes journées me pèse terriblement. Je suis si lourde que je ne suis pas ressortie depuis. Parfois des idées folles tournoient au-dessus de moi. Peut-être as-tu été fait prisonnier et conduit dans un de ces camps dont tu parlais. Peut-être t'ont-ils tué. Mais je l'aurais senti, n'est-ce pas ? Mon Louis, quelle sensation étrange, tu n'es plus là, mais tu es partout là où je suis. Ainsi je me rassure en me disant que rien ne peut nous séparer tant que je suis encore pleine de toi. Tu vas revenir bientôt, hein ? Ils m'ont dit d'aller au Vélodrome d'Hiver pour être recensée, mais je n'irai pas. Je vais rester ici à t'attendre. Je ne veux voir personne d'autre que toi, l'univers ne fait que subsister tristement sans Louis pour lui insuffler la vie.

Ton Eva.

Des pas cavalent dans l'escalier. Le cœur d'Eva galope un peu plus vite à chaque étage atteint, à une allure saccadée qui appelle la fuite, mais elle ne bouge pas. Qu'a-t-elle fait de mal ? Elle n'est qu'une Allemande qui a fui un dictateur. Si Louis l'avait épousée, elle serait française, et n'aurait pas à aller au Vélodrome d'Hiver. Les pas cessent, une main nerveuse cogne à la porte, trois fois, comme au théâtre. Eva continue à jouer, pour masquer les voix qui lui ordonnent d'ouvrir sa porte.

La logeuse s'empresse d'ouvrir aux deux agents de la police française qui font irruption dans l'appartement. Eva marque une pause puis reprend de plus belle *La Tempête* avec dans les doigts la gravité d'une femme prête à tout pour garder la face. Les agents lui ordonnent de les suivre et lui laissent quelques minutes pour rassembler des affaires. Eva ne réagit pas. Ce silence narquois entouré d'une musique qu'il ne comprend pas met le plus jeune hors de lui. Main sur le pistolet, il réitère l'ordre, prenant soin d'ajouter un mot pour ponctuer son effet, « la Boche ». Eva les dévisage de ses grands yeux noirs. Le jeune agent tire alors dans le miroir au-dessus de la cheminée dans lequel elle les fixe sans broncher. À l'intérieur du miroir, leurs trois formes semblent éclatées, et l'appartement déformé par une myriade de fissures. Abasourdi par la détonation, le jeune policier ouvre les tiroirs de la commode près du lit pour cacher son trouble. Il tient enfin une coupable pour venger la honte subie par la patrie, la déculottée que tous ont reçue avec son lot de ressentiment et de lâchetés. Eva rassemble en hâte quelques affaires, se saisit d'un cahier dont elle arrache une double page qu'elle plie en deux, en quatre, en huit, avant de la cacher dans son chemisier. Les policiers l'escortent fermement vers l'étroit escalier. Le plus âgé des deux lui dit avec déférence de ne pas s'inquiéter et lui assure que c'est pour sa sécurité. Paris n'est plus une ville sûre pour les femmes de l'Est, la vindicte populaire attend à chaque coin de rue de quoi se rassasier. Face au camion dans lequel s'entassent déjà quatre autres femmes, elle marque un arrêt. Le jeune policier la pousse du bout de son arme, un de ses bas s'accroche à la carlingue, ses épingles à cheveux tombent. Par les vitres, sur le morne trajet, une jambe nue, échevelée, Eva découvre une ville vidée de la moitié de ses habitants.

*
* *

Des Français un matin,
Ont cogné à la porte
De ma chambre rue Saint-Martin
Police ouvrez ! Vous allez faire un beau
    voyage !

Merci messieurs, je n'ai plus l'âge
J'ai cinquante ans, un g'nou cagneux,
    et vingt-cinq dents !
Debout putain, fais ta valise
La résistance n'est pas de mise

Que se passe-t-il enfin ?
Madame, vous êtes raflée !
C'est une nouvelle spécialité,
Qui fabrique du chagrin

Sous une rafale de sifflets,
De crachats, de quolibets,
Me voilà giflée, embarquée !
Dans leur camion, je suis raflée

Mais enfin je n'ai rien fait !
Vous êtes une réfugiée
Et les Allemands nos ennemis
Alors pourquoi ne puis-je rester ?

Parce que vous êtes une immigrée !
Oui tu n'es rien qu'une immigrée
La bébête qui migre,
Ça gratte partout les Français !

C'est la bébête qui migre,
Ça nous démange à se saigner
Qu'un moyen de s'en débarrasser
Madame, vous êtes raflée !

3

La voiture de police remonte la Seine à vive allure, elle en avale les quais, frôle la tour Eiffel de si près qu'Eva a la sensation de la voir trembler sur ses pieds d'éléphant, et s'arrête à une centaine de mètres de là, à l'angle du boulevard de Grenelle et de la rue Nélaton, dans le quinzième arrondissement de la capitale. Jetée hors du carrosse, Eva tente de rectifier maladroitement sa tenue débraillée. Elle reste plantée au milieu de centaines, de milliers de femmes qui font la queue et en laisse tomber ses deux bras d'un coup inutiles face à cette mer de malpeignées. Jamais elle ne s'est sentie aussi seule qu'encerclée par cette foule indécise, qui l'enlace, la bouscule, dont les effluves lui font tourner la tête et lui soulèvent le cœur, essaim interminable bourdonnant à ses oreilles. Qu'y a-t-il pourtant de plus humain que cinq mille paires d'yeux pleins de questions et d'inquiétudes, et qui regardent dans la même direction ?

Le Vélodrome d'Hiver dresse sa charpente métallique de navire échoué pouvant avaler dix-sept mille personnes. Le stade arbore fièrement sous le soleil de ce début d'après-midi ses boulons, héritiers de l'Exposition universelle et de son idéologie : l'industrialisation comme progrès de l'humanité. Les classes populaires se pressent pour assister aux courses de cyclisme dont les reines de la chanson viennent donner le départ, la Môme Piaf ou Yvette Horner. L'édifice est à présent cerné de canons antiaériens de la DCA. Les talons piétinent dans l'interminable file, soulevant la poussière comme une cavalcade de sabots. Eva hésite, se retourne, puis lève une dernière fois les yeux. La Seine luit dans le soleil, dont les rayons battent la nappe des toitures en zinc. Des mouettes rient en passant sous les six arches en fonte du pont de Grenelle. On la pousse pour avancer.

C'était Paris qui s'en allait.

C'est beau la guerre, avait-elle toujours pensé lorsque, jeune fille à Munich, elle voyait passer sous ses fenêtres des formations entières de soldats aux uniformes impeccablement coupés et repassés avec soin, le cheveu court, l'épaule droite, le pied assuré, dont les bottes de cuir inspiraient le courage et la fierté. Et soudain, face à ce troupeau de femmes hagardes, la guerre lui apparaît comme une maladie.

Certaines ont été arrêtées dans la rue, en habit de soirée, d'autres ont été tirées du lit, d'autres encore tiennent leur cabas à provisions. Eva cherche un regard auquel accrocher son incompréhension, mais tous rebondissent et se montrent fuyants, guêtant dans l'attitude des policiers un geste, un sourire, qui les rassurerait.

En armes, les agents encadrent le défilé de celles que les journaux appellent désormais les « femmes indésirables », celles dont on ne veut pas, celles qui doivent être hors des regards, hors la loi, partir ou disparaître ; nuisibles que l'on veut oublier avoir jadis aimé.

Au milieu des robes d'été aux couleurs fleuries, la valise de Lise est bousculée de tous côtés. On joue des coudes pour entrer. À quoi bon se dépêcher pour se faire enfermer ? se demande Lise, qui observe cet empressement naïf avec circonspection. Devant les portes, deux gardes font passer un premier contrôle afin de vérifier les identités. Il y a les voix résignées, celles qui refusent de voir la réalité en face, celles qui brandissent un certificat médical attestant d'un foie malade, qui invoquent un rein fragile ou des relations haut placées. On s'apaise comme on peut, on s'exempte soi-même. « Moi, le commissaire m'a promis que je serai libérée après la guerre », se rengorge l'une. « Je suis sûre que je suis enceinte, ça compte, ils vont me libérer », professe une autre.

Lise n'a plus qu'une dizaine de femmes devant elle. Elle réfléchit à ce qui pourrait la dispenser d'entrer dans ce nuage de verre. Personne ne sait ce qui les attend. Hélas ! elle ne trouve aucune raison qui pourrait empêcher son arrestation, et referme la main sur la poignée de sa valise, comme pour se retenir. À l'intérieur, roulés dans une couverture, quelques objets indispensables, une brosse à dents, un pot avec une cuiller, des vêtements.

La voix des cerbères se rapproche lentement, dix-sept heures sonnent, le temps change, se fait menaçant. Une pluie battante vient émouvoir la patiente file qui s'est gonflée de nouvelles arrivées, deux mille frêles oiseaux aux plumes détrempées. « Il y a erreur, je ne suis pas allemande, je suis née en Alsace à l'époque où elle était allemande, mais c'est la France maintenant, voyez, mes papiers sont français », tente d'expliquer une petite bonne femme devant Lise. « C'est moi qui décide qui est allemand ou non, madame », répond le commissaire à l'entrée. « Suivante. » Lise lui tend les siens qui sont examinés sans un mot. « Couteaux, ciseaux ? », l'interroge-t-il. Elle sort de sa valise une petite paire de ciseaux dans un étui de cuir rouge. Sa mère lui en avait fait cadeau pour son quinzième anniversaire, espérant que sa fille suivrait la même voie qu'elle et deviendrait modiste. L'homme confie l'objet interdit à un garde posté derrière son épaule ; ce dernier s'en saisit et griffonne un reçu. Lise n'avait jamais fait grand cas de ces ciseaux, elle se contentait de les utiliser. Mais maintenant qu'ils sont là, entassés parmi d'autres objets, elle se sent dépossédée d'une partie de son passé. Derrière son dos accablé, les lourdes portes se ferment. La voilà entrée dans la cathédrale d'acier au toit de verre qui diffuse une lumière donnant corps à la fumée, à la poussière. Elle avance, soudain intimidée, sur l'immense piste ovale et incurvée façonnée en bois de sapin et qui, sous l'effet du soleil, embaume l'espace. Deux étages de gradins de briques s'élèvent au-dessus de la piste, sur laquelle Lise s'offre bien malgré elle en spectacle.

Un médecin s'approche d'elle, ausculte l'intérieur de sa bouche, lui demande de tousser. « Apte », écrit-il sur une immense liste. Puis il s'adresse à l'Alsacienne qui était devant elle : « Tout le monde peut se payer un certificat de cancer du sein, madame. Apte. » Lise scrute son visage. Elle a plus de cinquante ans et parle le français sans le moindre accent. La piste au bois si lisse est devenue un champ de larmes et de regards perdus.

On tend à Lise une toile à matelas et un peu de paille pour la fourrer, qu'elle traîne derrière elle, cherchant un endroit vide sur le sol où se glisser. Les meilleures places des gradins sont déjà prises. Du linge a été suspendu et de lourdes gouttes tombent sur les loges du bas, où de petits groupes se sont formés. Certaines ont rempli leur matelas de tant de paille qu'elles dégringolent en voulant s'y allonger. Cette vision de femmes trempées roulant à bas de leur paillasse n'a rien pour enchanter Lise. Elle finit par jeter ses affaires dans un nuage de poussière qui poisse immédiatement ses cheveux ruisselants. Sa longue robe plaquée contre son corps lui donne l'allure d'une baigneuse en costume du début du siècle au beau milieu d'une porcherie.

Vélodrome d'Hiver,

15 mai 1940

Mon aimé,

Où es-tu ? Je t'ai écrit ce matin, je pensais souffrir alors, mais comme j'étais forte et ignorante encore ! Depuis, tout s'est effondré, on m'a emmenée au Vél d'Hiv. Le bruit est si grand, les voix humaines si multiples que tout s'y perd – moi-même presque – comme dans une mer immense. En fermant les yeux, je me crois au bord de l'océan lointain, et toutes ces femmes sont autant de mouettes qui se disputent les filets d'un retour de pêche. J'essaie d'avoir l'air normal mais je me retiens de hurler et de rouer de coups chaque policier que je croise. D'heure en heure, cela devient plus dur à supporter. La seule chose qui pourrait me tranquilliser serait d'avoir une adresse où t'écrire. Je dois garder avec moi mes lettres, je suis la seule à les lire, et elles me renvoient quelque chose de bien pire qu'un silence, une galaxie d'absence. Ton départ, le jour d'après, l'affreuse nouvelle de l'invasion, et toute la semaine suivante pleine de cette angoisse sur ton sort, sur le sort de l'humanité, et maintenant cela. Que se passe-t-il dans ce pauvre monde, mon chéri ? Tu ne sais pas ce que l'on m'a fait lorsque je suis entrée ici. En sortirai-je bientôt ? Je crains qu'on ne nous fasse rester là, prises au piège, et que nous n'échappions pas au sort de la souris que frappe la patte du chat. J'ai peur, Louis. Pour toi bien plus que pour moi. Tu connais la politique, mais tu ignores comment tenir un gobelet de fer-blanc avec du café chaud sans te brûler les doigts. Ne te brûle pas, Louis, mon Louis. Il n'y a pas de moi sans toi.

Eva.

Les gardiens dépouillent plus qu'ils ne fouillent, on se fait passer le mot. Sitôt le contrôle achevé, Eva est dirigée sur la gauche, dans une petite cabine où on lui demande de se déshabiller de la tête aux pieds. Elle se retourne pour échapper au regard scrutateur de l'agent français et en profite pour plonger la main dans son corsage, serrant le poing sur le petit papier qui y est plié depuis son arrestation. L'encre a fait une tache sur le décolleté festonné de dentelle. Enfin, elle déplie le précieux objet et découvre l'écriture délavée, mais toujours lisible, des mots que Louis lui laissait chaque soir lorsqu'il rentrait tard, avant de se coucher, dans un cahier, pour qu'elle les trouve au matin. S'y trouve aussi, fané mais encore chargé d'un invincible parfum, le brin de muguet avec lequel il s'était déclaré. À l'arrivée des policiers venus l'arrêter, c'était la première chose qui lui avait semblé nécessaire, comme si, partant en voyage pour une contrée lointaine, elle s'était munie d'une carte pour ne jamais se perdre.

Eva contemple la salle qui lui fait face ; des femmes à perte de vue. Chacune s'accroche à sa valise ; on perçoit le statut social de sa propriétaire à la qualité du bagage. Il y a des bourgeoises, des bonnes, des intellectuelles, des ouvrières venues chercher du travail en France, des réfugiées politiques ayant fui un pays où leurs opinions les condamnaient, celles qui tentent de cacher leur origine. Il y a là des Françaises ayant épousé un Allemand, des Allemandes femmes d'officiers français, d'autres ayant renoncé à leur nationalité au siècle dernier et naturalisées depuis, des Hongroises, des Polonaises, des Belges, toutes apatrides sur la terre des droits de l'homme. La France, une terre promise sans Dieu vengeur ou diktat, où elles étaient venues chercher asile. Eva avance pour pénétrer cette Babel de femmes prêtes à s'écrouler où l'on parle toutes les langues, où l'on évoque qui un mari, qui un amant laissé dans un appartement à la porte entrouverte ou éventrée.

Des visages connus émergent comme des rochers au-dessus des flots, des silhouettes montparnassiennes en vogue qu'elle avait aperçues à la Coupole derrière son piano. Parmi elles, l'Allemande Gerda Groth, la maîtresse de Chaïm Soutine, le peintre bohémien venant de l'Empire russe, qui cherche dans les figures sinueuses et fuyantes auxquelles ses mains donnent vie le visage du salut. Il avait rencontré Gerda dans une exposition qui lui était consacrée au Petit Palais et l'avait emmenée à la brasserie du Dôme. Ils ne s'étaient plus quittés, jusqu'à ce qu'on l'embarque. « Chère Garde, je ne t'oublie pas. Il faut prendre habitude à ta nouvelle vie, tout le monde est malheureux maintenant... Soutine, artiste peintre, 18 villa Seurat. Paris 14. » Non loin d'elle, le carré noir des cheveux de la peintre Lou Albert-Lasard, qui à cinquante-cinq ans n'a rien perdu de sa beauté. Née en Alsace-Lorraine, elle avait été abordée, un jour de septembre 1914, dans l'auberge d'un village de montagne près de Munich où elle briguait la solitude et l'inspiration, par un homme vagabond au regard clair, mobilisé dans l'infanterie. Il était poète, autrichien, il avait du talent, il s'appelait Rainer Maria Rilke, un amoureux de l'amour, de son essence magique autant que de sa force d'élévation. Il lui avait adressé quelques vers, elle avait été sienne.

Au-dessus d'autres années,
Astre, tu planas voilé.
Maintenant, ce que nous avons été
En chemins va se démêler.
Où nul chemin n'était tracé
Nous avons volé.
La courbe dans notre esprit
Est encore marquée.

Et on ose les appeler indésirables ! Sans elles, plus un seul tableau, plus un seul poème ne s'écrit, toutes les muses des Français sont ici ! Eva s'enfonce au cœur de cette assemblée irréelle. Les valises s'ouvrent sous ses yeux, offrant à son regard la vie de ces femmes en miniature. Des machines à écrire, des livres, une musette, un vase, un bâton de rouge à lèvres. Chaque propriétaire couve son bagage comme sa dernière richesse sur terre. Juives, allemandes, françaises, aujourd'hui ennemies, des femmes qui ont osé dire non et d'autres qui n'ont rien dit du tout. Près de cinq mille.

Un drôle de raffut tire Eva de sa rêverie. Un fromage rond dévale la piste à toute allure, une dame à la forte poitrine lui court après, suivie d'une jeune femme brune et flanquée d'un policier s'essoufflant dans son sifflet. La première avait eu la bonne idée d'apporter avec elle un reblochon. Ouvrant sa valise, elle l'en a sorti, comme pour humer sa Savoie natale, mais le fromage par la liberté alléché s'est échappé de ses mains et s'est mis à dévaler la piste. Sa propriétaire le course aussitôt, les pieds nus et soutenant des mains son généreux décolleté. Lise, qui la voit avancer à grand-peine, lui emboîte le pas, filant à travers la piste à la poursuite du reblochon qui, affiné dans les règles de l'art, prend de l'élan, et double tous ceux qu'il croise. Le policier, chargé de réprimer énergiquement tout mouvement de foule naissant, ne tarde pas à les rattraper et, l'élocution contrariée, bégaye de plus belle. Lise fixe sa bouche rétive lui ordonnant de s'a... s'a... s'ass... s'asseoir s... su... sur-le-ch... champ. Les policiers rassemblent les femmes par groupes de six dans chaque loge afin de procéder au comptage.

Soudain, son regard est attiré par des éclairs lumineux en provenance du côté ouest du bâtiment. Lise s'approche, profitant du fourmillement déclenché par l'action des agents. Par des portes dérobées servant à l'entrée des artistes, des journalistes font passer des appareils photo. L'un d'eux a réussi à glisser sa tête entre deux barricades enlacées par de solides chaînes et lui fait signe de se pousser. Ce ne sont pas les prisonnières qui attisent leur intérêt. Ils guettent l'arrivée très attendue d'une consignée de choix, une actrice allemande en vogue, la belle Dita Parlo, célèbre en Allemagne pour avoir incarné le premier rôle du cinéma parlant. Avant elle, aucune actrice n'était liée à une voix. C'était en 1929, avant l'exil de ces centaines de femmes, qui avaient toutes voulu lui ressembler. La star avait fui le nazisme quelques années plus tard. Savante ironie de la vie qui nous fait tantôt maître tantôt esclave, celle qui avait ému les Français sous les traits de l'amour ennemi dans *La Grande Illusion* de Renoir est désormais leur captive. Elle vient d'être engagée pour le rôle principal du prochain Orson Welles, se défend-elle auprès du commissaire ! La promesse de la célébrité hollywoodienne n'est pas suffisante, hélas, pour la sauver. L'ange de porcelaine au regard sombre fait son entrée sous la verrière. Le bruit des bracelets qu'elle pose sur la table de contrôle surpasse tous les autres. Le commissaire fouille son sac et confisque la lime à ongles. « Barbare ! Satyre ! Retirer sa lime à une femme, c'est un traitement inhumain, je me plaindrai ! Des ongles non limés deviennent des griffes, et des femmes sans lime des lionnes ! Si M. Hitler veut se faire les ongles, je lui enverrai tout un paquet de limes, mais qu'on me laisse la mienne ! » Dans le silence soudain, Dita fait quelques pas en avant, ses talons sont autant de ricochets dans cette mer de bruissements et de fumée de cigarette, ils créent des cercles qui résonnent jusqu'aux loges du deuxième étage. *Fraülein* Parlo garde le menton haut, elle n'est pas l'une d'elles, elle joue un rôle, celui d'une prisonnière, il n'y a qu'à composer avec ce décor, sans se soucier des figurantes.

La rumeur reprend. Dita Parlo a plus de trente ans et marche parmi des silhouettes qui ont la moitié de son âge. Elle n'est pas mariée et n'a pas eu d'enfants. Comme toutes ici. Et ce qui semble un détail aux jeunes filles provoque un sentiment de vide chez les autres. Les journalistes sont refoulés, Dita est installée au rez-de-chaussée. Aucune ne veut être à côté d'elle, elle est soupçonnée d'être au service du contre-espionnage allemand. « Les braves filles vont au ciel, les autres ici. Aucune de nous n'est aussi innocente qu'elle aimerait le croire. » C'est ce que disent ses yeux à ceux qui la jugent à distance. Lise l'observe, fascinée, et s'écroule sur sa paillasse, elle ressent le besoin impérieux de s'allonger, s'enliser, s'éteindre. Le soir aux couleurs de mai tombe sur la verrière et irradie les cloîtrées du Vélodrome d'Hiver d'une lumière rose aux reflets orangés. Soudain, les mille ampoules de la structure s'allument et donnent à l'édifice un air de bal-musette.

« Si jamais une bombe éclate au-dessus du bâtiment, elle fera voler en éclats le plafond et des morceaux de verre déchiquèteront les corps allongés. Dans ce cas-là, m'autorisez-vous à passer par-dessus la rambarde de votre loge avec mon groupe pour fuir ? Vous êtes sur le chemin de la sortie. »

Eva, assise sur sa paillasse, fixe sans rien dire la femme à la chevelure noire tirée en arrière et engoncée dans un col montant boutonné jusqu'en haut, qui s'avance au-dessus d'elle. L'oiseau tout en noir est entouré d'un aréopage de jeunes femmes à lunettes. Elle aurait préféré ne pas être sortie de sa rêverie par une telle question. Hitler bombardant Paris, elle n'y avait jamais songé. Elle a maintenant l'image des corps constellés de bouts de verre rampant au sol, comme autant de notes d'un requiem éparpillées sur une partition tachée de sang. Eva acquiesce. Cette pythie prend soin de se présenter, Hannah Arendt, avant de se retirer avec sa suite de liseuses à gros culot. Eva se sent emplie d'une compassion instinctive en la regardant s'éloigner. Elle aussi a plus de trente ans, à n'en pas douter, et elle n'a pas d'enfant, autrement elle ne serait pas ici.

Dans l'étouffoir du Vélodrome, pas de ventilation. Les sirènes partout bourdonnent, sifflent et claironnent. Il y a celles des policiers, celles des ambulances, celles des alertes antiaériennes, qui se succèdent jour et nuit, sans qu'il y ait d'abri prévu dans l'enceinte du stade. Stridentes, elles sifflent sans cesse, si bien qu'on ne sait si elles annoncent le début ou la fin d'une alerte. Lorsqu'elles se taisent enfin et que le cerveau n'est plus tétanisé par la peur, c'est le vrombissement d'un bombardier, plus sourd, plus grave, qui fait trembler la structure. Puis son ombre passe sur la piste cyclable, on lève les yeux au ciel, on aperçoit son ventre survoler la verrière comme un oiseau de proie au-dessus d'un nid. On entend soudain une déflagration dont on ne sait si c'est le tonnerre d'un orage de printemps ou une bombe. On ose à peine respirer, on attend. Quoi ? Que l'absurde se dilue, qu'on repère les vraies nazies et qu'on laisse partir les autres, la France n'est pas un pays où l'on emprisonne les femmes. Mais les militaires ne bougent pas. Eux aussi attendent, le visage blême et tendu, sans mot dire.

La nuit s'invite lentement au-dessus de leurs têtes. On ne distingue bientôt plus les figures. Les corps s'étendent, les nuages passent. L'espace devient une chambre de torture. La peur goutte de la verrière. Les détonations se font entendre. Des cris hystériques et des plaintes résonnent sous les étoiles trop visibles. Chacune commence à s'interroger sur sa faute. La culpabilité revêt cette nuit un sens tout particulier pour les autres femmes du Vélodrome d'Hiver.

Les grilles sont maintenant closes. Un piquet de soldats monte la garde. Sur le seuil du stade, celles qui sont restées à l'extérieur pleurent. On cherche une dernière fois le visage de celle que l'on a accompagnée, que l'on aime, on croise un regard étranger, on manifeste la même incompréhension silencieuse. Dans l'entrebâillement d'une porte cochère qui s'ouvre pour laisser passer une camionnette militaire, on aperçoit une voisine, une parente. Elles rient, font des signes. Mais la consigne est formelle, les femmes ne doivent pas communiquer avec l'extérieur.

Un taxi s'arrête devant la porte. Deux femmes, un paquet à la main, s'approchent. Elles souhaitent savoir si une amie internée est toujours là et lancent un nom. Aucune idée, leur répond-on. Elles parlementent avec les gardiens. Interdiction d'entrer. Personne ne pénètre ici. Les femmes sont désormais sous la surveillance de l'autorité militaire, pas de visites. Elles veulent à toute force laisser leur petit paquet et demandent si on pourra le lui faire suivre. « Si la personne est partie, il sera remis aux internées. » Devant la grille, le défilé continue. Le soldat, inlassablement, répète la même phrase : « On n'entre pas, on ne sort pas. » Elles insistent. Le gardien impassible leur répète une fois, deux fois, la même réponse. « On ne peut vous garantir que le colis sera remis. On ne peut vous dire si la personne que vous cherchez est encore là. Revenez demain : la liste des partantes sera affichée. »

4

Il y eut un soir, puis un matin.

Au deuxième jour, les visages se regardent avec une lucidité différente. L'aube ne dissipe pas l'impression d'avoir basculé dans un monde crépusculaire où s'entassent des silhouettes fantomatiques. La lumière crue, blanche, platit les coiffures et les traits qui, la veille, avaient encore un semblant d'allure. De toutes parts émergent de la nuit des femmes, immobiles comme des statues de la douleur, des piétas sans rejetons. Les militaires servent du café chaud, du pain bis et un morceau de foie en boîte, accompagnés d'une soupe épaisse et fumante.

Aucune ouverture n'aère le vaste hangar. Eva, qui s'est retenue toute la nuit, sort de sa loge pour aller aux toilettes. Le stade ne possède que douze cabinets. Nombre d'entre eux ont été condamnés parce qu'on peut s'évader par leurs fenêtres. Ceux qui restent sont pris d'assaut, engorgés dès le petit jour, inutilisables. Seules deux toilettes tiennent encore debout. Il faut faire la queue, qui serpente sur plusieurs dizaines de mètres. On se retient le plus longtemps possible, on finit par se libérer sur place, torrent d'humiliation personnelle au milieu d'un écœurement collectif. Restent les vingt urinoirs. Eva, plantée devant les ustensiles réservés aux messieurs, envisage de se contorsionner plutôt que de s'abaisser à faire au sol, comme un animal. Tout cela ne peut pas être réel… Fermant les yeux pour oublier ce qu'elle voit, elle tente de transformer les bruits parasites en symphonie, les voix dissonantes en chœur. Une main se pose sur son épaule.

« J'ai trouvé des cabines de douches. Mais elles sont ouvertes, et les sentinelles ne nous quittent pas des yeux, il faudrait y aller par deux, pour se cacher chacune son tour », lui propose Lise.

Lise a traversé la piste et examiné chaque femme. Elle a trouvé dans leurs yeux de la colère, de la peur, de la haine ou du désespoir, mais elle cherche quelque chose de plus. À trente ans, elle n'a jamais vécu seule, c'est la première fois qu'elle dort loin du souffle de sa mère. Il lui faut une amie qui aura dans le regard ce qu'on peut lire chez les mères, une force vive faite d'espoir et d'attention. Lise n'est pas une fille de mots, elle parle avec les yeux. Mais de mères, ici, il n'y en a pas. Puis elle aperçoit Eva. Son visage rond et ses courts cheveux blonds lui donnent un air adulte alors qu'elle-même se sent encore enfant. Tournée vers les pissotières alors que d'autres s'accroupissent dans les coins, cela signifie qu'elle n'a pas renoncé. Elle avance la main vers elle.

Depuis la disparition de Louis, Eva n'a pas senti sur sa peau la chaleur d'un autre être humain. Elle en fixe les doigts, les soupèse, s'en saisit pour les ausculter avec minutie. Ils sont posés sur elle avec légèreté de leur pulpe rebondie, le doigt lui-même est long et gracile, les articulations ressortent comme les nœuds d'un bois précieux, et en les serrant un peu plus fort Eva sent qu'ils tremblent. Lise ne pensait pas que sa main pouvait être l'objet de tant d'attention ; la gêne tend ses muscles et, se sentant étudiée, scrutée, elle craint d'être tombée sur une diseuse de bonne aventure et veut se libérer.

« Vous avez des doigts de pianiste », lui dit Eva, passionnée.

Grâce à cette anatomie providentielle, elle se sent moins seule.

« Je ne sais jouer d'aucun instrument, je crois que je suis juste un peu trop maigre, lui répond Lise, avec un sourire.

— Vous pourriez jouer du Liszt, j'en suis certaine, avec des mains si longues.

— Dans ce cas, mon nez doit être un virtuose ! »

La plaisanterie a quelque chose de sinistre étant donné leur situation, mais elles rient de bon cœur, s'entraînent l'une l'autre comme pour se laver de ces heures de peur et de suées. Eva lève les yeux sur cette femme, elle peut voir couler le sang dans ses veines tant sa peau est diaphane. Aucune malice ne se cache sous ses cheveux aussi noirs que les siens sont clairs, ni dans sa bouche si rouge qu'elle lui semble avoir le cœur aux lèvres.

« Le savon est au corps ce que le rire est à l'âme, comme on dit chez nous, je pense que nous avons grand besoin de faire notre toilette, avant que les autres ne repèrent les cabines, viens-tu avec moi ? insiste Lise.

— Je ne connais pas cette expression, s'excuse Eva.

— C'est un proverbe yiddish que ma mère me disait souvent en me frictionnant, lorsque j'étais petite fille.

— Je ne parle pas yiddish. »

Une Aryenne… Des milliers de visages, et elle a été attirée par une Aryenne ! Lise a un mouvement de recul, Eva retient sa main.

« C'est un très beau proverbe, il me plaît beaucoup », lui dit-elle doucement, comme pour lui signifier qu'elle n'est pas de ceux qu'elle craint. Lise garde la main d'Eva dans la sienne et l'emmène à l'autre bout du bâtiment pour partager sa découverte.

« On dirait les cabines que l'on voit sur les plages chics de France, pour que les femmes puissent revêtir leurs costumes de bain ! s'esclaffe Eva à la vue des petits réduits en bois blanc coiffés d'un toit pointu.

— Oui, nous voilà à la mer, nous sommes en colonie, remercions l'État français ! »

Chacune espère cacher son malaise sous le rire de cette nouvelle amitié. Il faut se mettre nue. Eva a l'esprit libre, mais le corps pudique. Sa nudité ne lui pose pas de problème, mais l'œil qui la reçoit en est un, il doit être amical, bienveillant. Lise n'a jamais ôté ses vêtements en plein jour. Il y a pour elle dans le fait de se dévoiler intimement une communion immédiate et silencieuse des âmes, une grâce bénie du ciel qu'il ne faut pas dévoyer.

« Il nous faut trouver un mot secret, théorise Eva. Quand l'une de nous le prononcera, l'autre pourra se retourner et lui donner ses affaires. »

Lise acquiesce d'un mouvement de tête.

« Choisis un mot qui te plaît, et ce sera le nôtre, finit-elle par concéder, car elle a beau chercher, aucun ne lui semble assez solennel ni assez discret pour remplir la haute fonction qu'elles vont lui confier.

— Ananas, répond Eva, qui se sent sommée de s'expliquer devant la mine ébahie de sa comparse. Parce que c'est le dernier dessert que nous avons mangé à la Coupole, avec Louis. Des tranches d'ananas au sirop. Cela n'était pas grand-chose sur le moment, mais aujourd'hui, c'est la meilleure saveur qui soit.

— Ananas », se contente de répéter Lise, les yeux baissés, les joues rougies. C'était un talisman drôlement osé, le gardien d'une ancienne pudeur qu'elles allaient laisser glisser à leurs pieds.

Eva entre la première dans la petite cabine, elle enlève ses vêtements qu'elle pose sur les épaules de sa camarade qui monte la garde. Mais déjà un homme en uniforme s'approche et lui intime de se dépêcher. Il faut profiter des quelques gouttelettes qui coulent et céder la place à la prochaine. Oubliant le code qu'elles viennent d'instaurer, Lise se retourne pour lui répéter l'ordre. Au milieu du corps d'Eva, elle aperçoit une cicatrice qui lui barre le ventre à l'horizontale. Brune, boursouflée. Elle se retourne aussi vite que sa stupeur le lui permet, priant qu'Eva ne l'ait pas vue. Sa main tâtonne sur l'épaule de Lise, à la recherche de ses vêtements. « Ananas », dit enfin Eva, prête à servir de chaperon à sa nouvelle voisine d'infortune.

À midi, la même pitance, le soir aussi. Une pauvresse essaie de se jeter des gradins, elle est retenue par sa robe, une autre refuse de manger, certaines appellent leur mère, morte depuis longtemps. Toutes sont soudain transfigurées comme par un charme maléfique qui aurait fripé leurs traits.

Le soir venu, chacune écrit, en secret, à celui dont elle espère qu'il l'attend quelque part. Comme pour ne pas entendre les cris de celles qui, n'ayant personne à qui penser, deviennent hystériques.

16 mai 1940

Mon cher Louis,

Les journaux nous sont interdits, je ne sais pas ce qu'il advient du monde. Où es-tu ? Est-ce que tu vas bien ? On rencontre ici en majorité de très chics femmes, nous sommes toutes les nationalités et religions mélangées, mais nous gardons notre contenance, pour le moment. Combien de temps cela va-t-il durer ? J'ai l'impression que beaucoup changeront vite et deviendront comme des espèces de bêtes lorsque le bout de viande commencera à devenir rare. Ce dont nous souffrons le plus est le désœuvrement. Les Français disent qu'il faut

« tuer le temps ». Mais quand tout le monde meurt autour de vous et que c'est la guerre, moi je préfé-rerais plutôt le vivre. Comment fait-on pour vivre le temps, lorsqu'on est prisonnière d'un néant qui tourne sur lui-même et se répète ? C'est la nuit que ma tête sombre, et que les noires pensées remontent, ou lorsqu'une voisine reçoit une lettre de son mari. Alors je me sens la plus seule et la plus triste des femmes. Nous sommes probable-ment des milliers ici à ressentir cela, mais cette pensée n'en est que plus intense. Comme j'aimerais être seule avec toi. Pourvu que je trouve cette nuit le sommeil, pour l'être un peu.

Bonne nuit, mon chéri.

La deuxième nuit n'est pas plus belle que la première, le deuxième réveil guère plus. Les gradins sont devenus un véritable cloaque, on patauge dans une boue infecte, l'urine s'écoule vers la piste. Il monte de ce magma une pesti-lence effroyable. La puanteur ne connaît pas les races. Chaque nuit, elles tremblent au moindre bruit, priant que le toit de verre ne leur tombe pas sur la tête. Chaque matin, les jours sui-vants, Lise traverse l'immondice pour rejoindre Eva, et chacune à son tour donne le mot secret. Chaque matin, Lise fait mine de ne pas voir la cicatrice d'Eva, comme le code d'une amitié à naître.

Dix jours passent ainsi, sans en savoir plus sur l'état du monde. Mais un matin fut diffé-rent.

*
* *

Au Vélodrome d'Hiver
On vient voir les artistes,
Les sportifs sur la piste,
Chaque soir on applaudit

Au Vélodrome d'Hiver
Les larmes des mères,
Et celles des filles,
Toutes deux amères

Au Vélodrome d'Hiver
On fait la file,
Pour être parquées,
Le vent froid repousse l'été

Au Vélodrome d'Hiver
On peut toujours pédaler,
Pour trouver à manger,
Ou de quoi se laver

Un Vélodrome d'Hiver
Au début de l'été
Quelle drôle d'idée !
Il y fait chaud à crever

Le Vélodrome d'Hiver
C'est comme une serre,
Ils croient p't-être qu'on va pousser,
Moi j'donnerais tout pour un navet

5

Huit heures du matin, le 24 mai, Lise plie avec soin les habits crasseux qu'elle n'a pu laver, les couverts pleins du pâté de foie des Français, dont l'odeur n'a pas encore eu le temps de macérer sous la serre du Vélodrome et de recouvrir celle des ordures, mutation olfactive dégoûtante et salutaire n'advenant qu'à partir de onze heures, quand le soleil trempe ses rayons dans le marécage humain. Son nez, à sa grande surprise, a fait sienne cette odeur ; elle le rassure, marquant le passage du temps quand nuit et jour se succèdent, diffus, dans un seul brouillard de poussière et d'inactivité. Tant qu'il y a l'odeur du pâté de foie, elle est encore dans le ventre de Paris, et nourrit en secret l'idée que Frieda vient chaque nuit, à la porte du Vélodrome, la veiller pendant son sommeil. Toutes les cinq minutes, les policiers sonnent le rassemblement à coups de sifflet qui résonnent comme des spasmes, de plus en plus fréquents, elle sera bientôt expulsée. Le mot d'ordre est lancé, les indésirables sont transférées. La décision a été prise par le président du Conseil, Paul Reynaud, et son nouveau vice-président, Philippe Pétain.

Lise cherche Eva, mais ne voit que des dos, arc-boutés sur leurs valises, vérifiant chaque centimètre de sol, des glaneuses sortant de la terre les graines de leurs vies passées.

Elle regarde encore le Vélodrome, la cathédrale de verre hermétique autant que protectrice, qui a reçu leurs prières incessantes. Qu'adviendra-t-il d'elles sitôt franchi le seuil ? Parlera-t-on encore français dehors, ou le monde sera-t-il devenu allemand ? On s'habitue tant aux pires prisons, sur les murs desquelles on a tapé, pleuré, espéré, que les quitter, c'est quitter une partie de soi. L'être humain est une bien curieuse créature, capable de nostalgie pour ce qu'elle a détesté.

Neuf heures, les milliers de femmes sont prêtes, descendent des gradins pour grossir le bataillon de jupons. Rien n'a filtré sur la destination. Dans la file, Lise observe un à un les visages pour les lire. Tous semblent plombés. Isolée en elle-même par sa farouche timidité, elle ne peut s'empêcher de les faire parler comme elle animait ses poupées pour donner vie au silence de sa chambre à l'annonce de la mort de son père. Enfin Eva apparaît !

Le soulier plat verni de l'une et le talon vert bouteille de l'autre font un pas à l'extérieur du Vélodrome. Les yeux fermés, Eva effleure de ses doigts fins l'intérieur de la main de Lise, en détend les phalanges serrées avant de les enlacer. Une longue colonne d'autobus les attend, interminable. Moteurs allumés, les Renault TN4HP au corps vert, aux essieux jaunes et au toit blanc sont camouflés. Lise n'a pas la force de les compter. Elle ne voit que les fenêtres teintées de noir pour assurer leur protection, leur dit-on. Les Parisiens pourraient avoir envie de s'en prendre à ces parias détestables. Eva, elle, ne distingue qu'un détail. Sur le flanc de la carrosserie, un panneau indiquant « Réfugiés de la zone interdite ». Prises d'un vertige soudain, elles avancent entre la haie de policiers qui, comme dans une course de chevaux harnachés, donnent des coups de bâton à celles qui traînent la patte.

« À droite, à gauche », on sépare les femmes en deux rangées, boches et juives embarquées ensemble. Sans un mot, leurs doigts se serrent plus fort pour ne pas se quitter. Arrivée à hauteur du jeune policier bègue préposé au comptage des prisonnières, Lise regrette amèrement de lui avoir ri au nez. La revanche est facile à prendre sur celle qui l'a humiliée. Le bègue les attire à part. Il plonge ses yeux dans ceux de Lise. Elle se sent nue, il est armé. De sa poche il sort un petit étui en cuir rouge, qu'il lui tend, en regardant de tous côtés. Lise rougit, ses yeux s'embuent. Il n'avait pu résister à la coureuse au reblochon et lui fait un signe compatissant de la tête.

« Où nous emmène-t-on, je t'en prie, dis-le-nous », le supplie Eva, voyant en cette marque d'attention une opportunité.

Le policier, plus nerveux que jamais, furète autour de lui, entrouvre les lèvres : « Gu... gu... gu... »

Les bottes du commissaire résonnent sur le trottoir. Il faut se séparer. Le jeune bègue les pousse de son arme à monter ensemble dans le même véhicule, tandis que ses yeux doux ne peuvent se détacher de Lise. Le convoi est plein, le commissaire donne l'ordre du départ.

La file de bus se met en branle. À l'intérieur, la peinture recouvrant les fenêtres permet à peine de distinguer dans la pénombre des yeux de toutes les formes, clairs ou sombres, qui reflètent la même angoisse. Les rues parisiennes défilent au son des sirènes. Les passants, les cafés sont déjà loin, un décor inanimé dont elles ne font plus partie. Le convoi longe le scintillement des ondulations de la Seine, passe devant le Louvre, puis la place du Châtelet et s'arrête à la gare de Lyon, sur la place Diderot. « On nous envoie hors de France ! On est venues ici pour être libres, on va nous mettre sur les rails, retour à l'expéditeur ! » hurle une professeure de Hambourg, qui a dépassé les cinquante ans. Les officiers font descendre les femmes du convoi une à une, avec le même empressement qu'à la montée.

Un quai a été spécialement aménagé, tout au bout de la gare, à l'écart des usagers. Des trains y attendent à perte de vue. Les cheminots, réquisitionnés, concentrés sur leur machine, n'osent pas regarder celles qu'ils vont transporter. Si elles ne les voient pas, peut-être ne les jugeront-elles pas. Face aux machines, Eva songe aux longues processions de femmes, chargées de paquets, sur les quais de gare au départ des soldats, mouchoirs à la main, faisant signe à leur mari… Mais pas un mari à l'horizon. Un genre disparu, terré, aspiré par la guerre ou par la fuite. Des trains pour déporter des femmes seules, voilà ce que la modernité et l'industrie ont enfanté.

Qui m'attendra sur le quai de la gare, au pays de Hitler ? Que trouverai-je là-bas ? Ne peut-elle s'empêcher de penser. Peut-être y retrouvera-t-elle Louis. Sans doute a-t-il été fait prisonnier, depuis qu'il est retenu loin d'elle. Il n'a pas pu être tué, on ne peut pas mourir quand on est fiancé pour la première fois. La Savoyarde au reblochon songe aux fromages allemands insipides. Et leur verbiage ! Son mari le parle, et depuis vingt ans qu'elle l'écoute, elle en est certaine, c'est une langue faite pour embêter les Français. Si bien que cela fait vingt ans qu'elle a cessé de l'écouter. Dita Parlo imagine déjà la tenue qu'elle arborera pour amadouer les juges lors de son procès pour avoir tourné dans les films français de Renoir, la traîtresse. Un collier ras-du-cou noir et une robe blanche à dentelle, avec une coiffe sage engoncée sur son carré platine. La manipulation des hommes est si facile, quand on sait user d'une candeur scandaleuse. Hannah Arendt, placée dans l'autobus numéro quatre, arrive sur le quai. Elle aperçoit le sigle SNCF, qui vient à peine d'être créé. L'entreprise appartient en partie à l'État, en partie à des privés, dont les Rothschild, pour lesquels elle travaille. Quelle drôle d'ironie, qui résume à elle seule, pense-t-elle, tout le mal français. Aucune famille n'attend Lise dans le pays qu'elle a quitté. À quoi ressemble Berlin, à présent ? Y voit-on des croix gammées aux fenêtres, y fait-on le salut nazi pour se dire bonjour dans la rue, les petits enfants jouent-ils à la guerre ou se déguisent-ils en Hitler ?

On entasse ses doutes et ses bagages dans les trains sombres au toit bombé. Les plus chanceuses vont dans des compartiments de voyageurs, d'autres dans des wagons à bestiaux, sans eaux ni latrines. Sourd aux suppliques des milliers de femmes qu'il transporte, le mécanicien fait bramer la vapeur, la locomotive s'ébranle. Le gardien scelle les portes des wagons d'un tour de clé qui résonne comme une décharge en plein cœur.

Sur les banquettes de bois de troisième classe, on se fait cahoter à quarante par wagons. Les visages ne sont plus les mêmes qu'au Vélodrome, il faut se les approprier, s'acclimater aux odeurs, aux tics, aux bruits de chacune. Il n'y a rien de plus long qu'un voyage sans destination. Deux fois par jour, les militaires ouvrent la porte pour distribuer du pain, une boîte de pâté par personne et un peu d'eau. « Du singe », précise un soldat en tendant les boîtes à une femme. Prise d'un haut-le-cœur, elle rejette les pâtés ouverts qui se répandent au sol, éclaboussant sa robe d'une sauce qui, semblable à du sang, la fait hurler de dégoût jusqu'à l'évanouissement. Du singe, cela veut simplement dire de la viande ordinaire en argot militaire.

Toutes les heures environ, la voisine de siège de Lise, une petite bonne femme aux tresses blondes et au teint encore poupon, allume une cigarette sur laquelle elle tire une bouffée, avant de la faire tourner. Chacune imprime l'empreinte de ses lèvres sur le filtre, dans un cérémonial presque occulte qui, l'espace d'un instant, fait taire miraculeusement les ventres comme les esprits.

Des lattes de bois recouvrent les fenêtres, entre lesquelles on ne voit que par fines bandes. On va vers l'est, Dijon, puis vers le sud, Lyon. Au passage de certaines gares, on entend des voix gronder, des cailloux taper contre la carlingue. Une adolescente atteinte de polio est blottie dans un coin, avec ses béquilles. Ses cheveux recouvrent son visage. Une frisée raille son handicap qui l'empêche d'aller sur le pot toute seule. Eva, ragaillardie après avoir mangé le « singe », bondit sur elle et, le poing serré, la menace, sa voix couverte par le sifflement de la locomotive. Une autre passagère enlève son manteau et en recouvre la petite boiteuse.

27 mai 1940

Mon chéri,

Je suis contente d'être partie. Le voyage est beau, Louis, il me rapproche de toi. Lorsque j'étais enfermée, je devenais folle de ne pas savoir où tu étais, mais à présent que le paysage bouge autour de moi, cela m'est moins douloureux. Enfin je respire, je suis une nomade, comme toi, que l'on a chassée de l'Éden. Mon imagination file en croisant les villages, les champs et les plaines. C'est beau, la France, à la vitesse d'un train. Je t'imagine à l'autre bout de ces rails, dans un pays de nuages. Je voudrais glisser ma main dans tes cheveux, de gauche à droite, comme sur mon clavier, pour effacer en musique le mauvais rêve qui vient de se créer, t'inventer des notes roses au lever du soleil, des notes bleues quand la nuit se fait opaque, des notes ocre comme les maisons de Rome où nous voulions tant aller. Quand nous nous reverrons, qui sait si la Ville éternelle ne sera pas tombée, si je n'aurai pas au coin des yeux les rides de l'inquiétude qui me taraude. Parfois je me rassure en me disant que, comme ce train qui m'emmène, rien n'est figé, tout file et nous emporte d'un état à un autre. Ainsi, rien ne sert de demeurer triste, aucun empire, aucune ville n'est éternel. Il me faut profiter du voyage qui me ramènera vers toi, il ne peut en être autrement.

Eva.

L'aube point enfin au-dessus de la vallée du Rhône. Par les lamelles de bois, les indésirables découvrent des oliviers vert argenté au milieu des collines aux reliefs apaisants. Aucune n'avait fait un si beau voyage. Derrière elle, des vies détruites, des hommes perdus ; devant, une geôle ou un cachot, autant n'être plus rien d'autre qu'une passagère. Leur crainte se noie alors dans la jouissance de l'instant. Le convoi s'arrête. Lise essaie de déchiffrer les lettres du nom de la ville, Avignon. Elles sont encore en France, tous les espoirs sont permis ! Peut-être les met-on réellement en sécurité, loin des combats, pour les protéger ? Fausse alerte, le train repart dans des crissements, en direction de l'ouest, cette fois.

Au passage des gares, la végétation change. Les douces collines deviennent montagnes, et déroulent bientôt un mur de sommets dentelés, gris, bruns, tachetés de blanc. Peu à peu, l'impression se précise, elles sont quelque part dans les Pyrénées.

Soudain, après trois jours et trois nuits, plus un mouvement, plus un bruit. La clé dans la lourde porte réveille les jambes engourdies. Une odeur nouvelle, plus fraîche, plus humide aussi, s'engouffre dans les poumons. Lise s'attarde sur la pancarte qu'elle peine à lire, Oloron-Sainte-Marie.

La petite gare rouge et blanc ne semble pas broncher. Des trains en file indienne descend un océan de femmes qui se répand hors des wagons sur le quai du hangar de fret et marchandise, juste à côté de la gare destinée aux passagers. Des colonnes d'Oloronais sont là, ne sachant comment se comporter. Des femmes tendent des mains chargées de chocolat, de bonbons, pour qui veut s'en saisir ; d'autres les regardent avec un air de défi. On essaie de ne pas sentir les crachats, de ne pas entendre les huées. Les soldats eux-mêmes n'ont pas l'air de savoir si les indésirables qui viennent d'arriver sont l'incarnation de l'ennemi ou de misérables femmes. Une rangée de camions militaires débâchés les attend. Pas assez pour embarquer tout le monde, premières arrivées, premières parties. Certains les pressent de leurs baïonnettes pour les faire monter, d'autres chargent leurs bagages avec gentillesse et leur glissent dans les mains quelques cigarettes. Lise et Eva s'entassent une fois de plus, sous les yeux cette fois des paysannes béarnaises, silhouettes drapées de noir dont on ne voit que le visage endurci par le climat pyrénéen, le travail ou la haine. Ces oiseaux de mauvais augure finissent de leur glacer le sang. Les camions les avalent, une à une, debout, vers un nouveau on ne sait où. Main dans la main dans l'air tiède d'un soir de mai, Eva et Lise roulent vers le sud, sur la route bitumée bordée de platanes épais, comme des colosses fantomatiques aux cheveux fous. À l'horizon, si près, les Pyrénées éclatantes offrent mille teintes de bleu.

Le convoi s'arrête enfin, face à un grillage chaperonné d'un épais fil barbelé. Un panneau, avec une inscription, « Camp de Gurs ». Même pas un mot, juste une syllabe, prisonnière de la gorge d'un bègue ; un sanglot qui ne veut pas sortir.

DEUXIÈME PARTIE

1

« Nous vous envoyons trois mille femmes à
interner. Allô ? Allô ? »

Au téléphone, l'attaché du cabinet du général Héring attend une réponse de la part du
commandant. Au bout du fil, rien qu'un silence,
puis, à peine plus fort, la chute d'un corps sur
la laine d'un tapis. Le chef d'escadron Davergne,
pris de stupeur, est tombé de sa chaise. Le
nombre exorbitant résonne encore dans sa tête
tandis qu'il recoiffe ses cheveux bruns ondulés d'une main et replace de l'autre ses petites
lunettes rondes sur son nez, juste au-dessus de
la moustache triangulaire qui relie équilatéra-
lement chacune de ses narines aux extrémités
de sa bouche. Sur la joue du jeune commandant de trente-cinq ans s'épanouit un grain de
beauté. Il s'est vu confier la direction du camp
depuis quelques mois seulement. L'avancement
était arrivé en même temps que la naissance
de son premier enfant. Alain Davergne a beau
être ambidextre, homme droit et officier supé-
rieur aguerri, ses nouvelles responsabilités le
prennent au dépourvu.

L'ascension du sol jusqu'à sa chaise, puis à la table campagnarde en bois verni qui lui sert de bureau, se fait à tâtons. Davergne s'empresse de vérifier par la fenêtre de la baraque que personne n'a assisté à son moment de faiblesse. Le mot se répandrait dans le camp, c'en serait fini de son autorité. L'uniforme français, une division et quelques gardes ne suffisent pas à tenir les vingt mille hommes de toutes les nationalités placés sous sa direction. Il faut avoir de l'aplomb, pour faire de la cravache un sceptre, de l'uniforme un manteau d'hermine et du camp boueux un empire. Il faut être en somme illusionniste pour gouverner tant d'hommes, avoir sur eux toute autorité alors qu'on a en réalité bien peu de pouvoir, celui d'appliquer des ordres que la guerre dicte. Homme de morale, Alain Davergne retire la fierté nécessaire à son existence en exécutant son devoir. Ainsi termine-t-il, au crépuscule, le compte rendu des événements de la journée, qu'il doit envoyer à Paris.

Par ordre du général chef d'état-major de l'Armée à l'Intérieur, j'ai été chargé de préparer les internés à l'arrivée de prisonniers de guerre et de réorganiser les baraques. Le 26 mai 1940, j'ai vu les chefs des diverses nationalités internées au Camp. Je les ai mis au courant des intentions du commandement français et les ai invités à ne mettre aucune entrave à l'arrivée de ces nouveaux éléments. Le chef des Yougoslaves a répondu que, volontairement ou de force, ils ne libéreraient pas de baraques. Le soir même, cinq cents Espagnols étaient de son côté. Le lendemain, vers 8 h 30, les gardes m'informaient qu'une manifestation se déclenchait dans les îlots E et C, occupés par les Internationaux. À cette heure, les Internationaux, au nombre de mille cinq cents, étaient hors de leurs baraques et tenaient des réunions tumultueuses. Des hurlements et des coups de sifflet partaient de partout. Certains groupes chantaient dans leur langue nationale des chants révolutionnaires. Puis, plus de quatre cents miliciens ont chanté en français, tête nue et au garde-à-vous, La Marseillaise. Entre 9 h 15 et 9 h 30, j'ai donné l'ordre aux chefs d'îlot de faire rentrer tous ces hommes dans les baraques. Mais les hommes ne répondaient pas à l'appel de leur nom. Une centaine ont été pris de force et conduits jusqu'à l'allée centrale. Quelques-uns ont été traînés sur plus de cent mètres mais opposaient toujours une résistance. Plusieurs Yougoslaves ont foncé sur le lieutenant Rat, qui se trouvait à l'entrée de la baraque 16. Ce dernier a été mordu au visage ainsi qu'au poignet par un individu non identifié, sous les quolibets de l'ensemble de la baraque, « Alors le rat, ça fait quoi d'être mordu ! » Les Yougoslaves furent bientôt rejoints par un groupe d'Espagnols qui se mirent à aboyer et montrer les dents. L'officier menacé par ces énergumènes a frappé l'un d'eux d'un coup de cravache. Ce geste a eu pour résultat immédiat la fin de toute hostilité de la part des internés. Une vingtaine ont été menés à l'îlot de répression pour trente jours. La résistance a été particulièrement vive dans les groupes liés aux Brigades internationales. Pendant toute la durée des incidents qui se sont déroulés entre les fils de fer barbelés des îlots, la direction est restée maître de la situation. À 13 h 30, le calme régnait dans le camp.

Signé Davergne.

La situation semble sous contrôle, mais Davergne a eu si chaud que sur son grain de beauté a poussé un poireau. Il s'attendait ce soir à l'envoi des renforts qu'il a demandés avec insistance auprès des autorités, pas à celui de nouveaux prisonniers. Des femmes, qui plus est ! Il ne manquait plus que cela dans sa bergerie faite de carnassiers. À quoi s'amusent-ils donc, à Paris ? On a besoin d'hommes, ici, pour faire face aux membres du *bando republicano*, pas de femmes ! Éteignant la lumière, il tourne la molette de la TSF en Bakélite et métal pour se délasser, espérant dormir un peu avant l'arrivée des prisonnières. Radio Paris retransmet un spectacle de cabaret, en direct de La Vie parisienne, au 12, rue Sainte-Anne, dans le 1er arrondissement. Il a réussi à juguler la dernière rébellion, mais la prochaine fois, demain, ce soir peut-être, ce sera le lynchage ou la mutinerie. Davergne s'endort, bercé par le cliquetis des perles et des chichis qui accompagnent la voix féminine du cabaret.

La pauvreté est un mal des peuples bien difficile à guérir. Elle engendre la puissance de ceux qui louent la gloire nationale jadis oubliée et finit par jeter sur les routes de l'exil des millions d'âmes qui se préfèrent apatrides plutôt que tuées. Il suffit de quelques agitateurs velléitaires pour enflammer un pays et trouver mille porteurs de torches avides d'en venir aux mains.

Au nord, les juifs et les opposants fuient l'Allemagne en franchissant le Rhin ; au sud, les républicains espagnols fuient le nouveau régime en escaladant les Pyrénées. En 1936, un groupe de généraux a lancé sur la République espagnole un coup d'État pour rendre aux militaires ce que le peuple avait pensé être sien, le pouvoir. Parmi eux, Francisco Franco, son béret nationaliste et son poitrail autoritaire galonné. Face à lui, les « rouges » soutiennent la République, le socialisme et le libre-arbitre. Bientôt, des volontaires provenant de cinquante pays – Italiens, Belges, Américains, Polonais, Tchécoslovaques, et même deux Chinois – viennent grossir les rangs de ceux qui luttent pour la plus belle des utopies, la démocratie. Ce sont les Brigades internationales. Si l'Espagne résiste au fascisme, pense-t-on, l'Europe pourra suivre son exemple, et fera choir les dictateurs avant qu'il ne soit trop tard ! Hélas, le 1er avril 1939, El Caudillo sonne le glas des espoirs républicains et prend les rênes du pays qu'il compte mettre au pas.

Les membres du *bando republicano* et des Brigades internationales s'entassent alors sur les plages françaises. À Portbou, des hordes rouges en haillons traînent valises et bagages. Ils pensent être accueillis en héros : ils ont été vaincus, mais ils ont résisté. L'opinion publique, elle, voit des assassins, des bruns, des bourreaux. La population est en émoi face à cette cohabitation forcée avec ces massacreurs espagnols qui ne demandent qu'à violer, qu'à piller. Et on n'ose imaginer ce qu'ils feront aux bêtes ! En hâte, le gouvernement français ferme la frontière, mais trop tard, un demi-million de réfugiés sont entrés par cette veine-là. D'Argelès-sur-Mer jusqu'à Perpignan, on couche à la belle étoile, les oreilles fouettées par la tramontane dans des centres d'accueil qui portent mal leur nom. Si l'on pouvait se nourrir de vent, on serait bien lotis. On promet de tout, mais on ne mange rien.

Ainsi, dans les Basses-Pyrénées, à trente-cinq kilomètres de la frontière seulement, sur une colline allongée, comme assoupie à l'ombre des montagnes, une terre au sol d'argile gras et poisseux sur lequel même le maïs refuse de pousser est réquisitionnée. On en fera un camp, où ces réfugiés aux pieds sales seront cachés. Les premiers rouges sont à peine arrivés que deux cent cinquante kilomètres de barbelés sont dressés autour d'eux. Une route de mille sept cents mètres de macadam bitumé est coulée. Un réseau de mille huit cents mètres d'« égouts » est creusé, une voie ferrée de trois kilomètres de long est posée, un service de captage, de filtrage, de pompage et de distribution d'eau est aménagé, le téléphone est branché, l'éclairage est installé, partout sauf dans les baraques construites pour les internés. En quarante-deux jours, le camp de Gurs est prêt. Vingt-huit hectares développés sur un kilomètre et demi de long et deux cents mètres de large, traversé par une longue route centrale. De part et d'autre, des îlots, contenant chacun trente baraques, sept d'un côté, six de l'autre, séparés par un muret surplombé de barbelés. En tout, trois cent quatre-vingt-deux cabanes de bois recouvertes d'une toile imperméable sortent de terre, comme autant de serres où l'on plante des damnés. La capacité d'accueil, dix-huit mille hommes, est déjà dépassée. Conçu pour ne durer que le temps d'un été, le camp trône toujours au milieu de la boue.

La voix haut perchée de la chanteuse dans la TSF éreinte les tympans du commandant Davergne avec sagacité, la revue du cabaret touche à sa fin. La salle comble bat des mains le rappel, une clameur qui retentit dans les Pyrénées comme un souffle lointain, rapidement recouvert par la pétarade des cinquante camions au point mort devant la barrière de l'entrée, une simple barre de bois blanc et rouge, avec deux gardes armés.

*
* *

Chaque femme je la veux
Des talons jusqu'aux cheveux
J'emprisonne dans mes vœux
Les inconnues

Sous leurs jupons empesés
Mes rêves inapaisés
Glissent de sournois baisers
Vers leur peau nue

Je déshabille leurs seins
Mes caresses par essaims
S'ébattent sur les coussins
De leurs poitrines

Je me vautre sur leurs flancs
Ivre du parfum troublant
Qui monte des ventres blancs
Vers mes narines

Douce, je promène ma main
Aux rondeurs du marbre humain
Et j'y cherche le chemin
Où vont mes lèvres

Ma langue en fouille les plis
Et sur les torses polis
Buvant les divins oublis
J'endors mes fièvres.

2

« Tout ce qui sera oublié ou laissé derrière vous sera détruit, descendez, descendez ! »

Les camions sont si hauts et les jambes si fatiguées qu'aucune ne fait le moindre geste, craignant de se casser les os. Les militaires prennent les femmes par la taille ou les bras, leur font mettre pied à terre une à une et les placent en rangs, deux par deux, face aux barbelés. Le jour est tombé mais le ciel résiste encore à la nuit, les hauts nuages y sont marbrés, veinés d'un bleu de printemps. Seuls les hommes en uniforme crient, les femmes s'exécutent, poupées silencieuses. Eva a le mal de mer, Louise les oreilles bouchées. Les montagnes tanguent au loin, leur effet d'attraction s'impose qu'on le veuille ou non.

Le comptage dure une éternité, ordre a été donné de ne pas bouger. Les montagnes finissent par se figer. On ne voit rien, on n'entend rien. Les sommets dentelés sont prêts à se refermer sur elle, et le silence éternel de cet espace infini les fait frissonner toutes deux. Seules des loupiotes à la lumière jaunie font leur apparition et donnent enfin une profondeur à l'obscurité. Elles se balancent au-dessus de leurs poteaux et animent l'immensité noire. Du camp, on ne voit que des ombres sépia, des formes fuyantes. Derrière les barbelés, une rangée de foyers de cigarettes s'allume et s'éteint, comme autant de lucioles impatientes dans un champ. Eva distingue des dizaines d'yeux braqués sur la sarabande de jambes nues plus ou moins gracieuses qui leur font face. Où sont les hommes ? s'est-elle demandé des jours durant. Là, apparemment. Des centaines, des milliers d'hommes, agglutinés derrière un grillage. Métallique, plein d'épines prêtes à planter leurs crochets dans la chair qui chercherait la liberté, s'enroulant sur lui-même sans vergogne.

Le froid et l'humidité fondent sur les corps immobiles. Dans leurs souliers vernis, les orteils engourdis de Lise s'impatientent. Les poils blonds fraîchement repoussés sur la jambe nue d'Eva se dressent, tandis que l'autre jambe est couverte par son bas. Elle l'a remis chaque jour depuis son arrestation, ce bas unique, centimètre par centimètre, a placé sa couture derrière sa cheville, son genou, sa cuisse, comme un rituel garant de sa féminité. Mais à présent qu'autour d'elle elle ne voit que la nature, elle veut embrasser les éléments, se défaire des artifices de son ancienne vie, ressentir le froid. Elle se tourne vers Lise, l'air déterminé, se penche légèrement en avant, remonte l'ourlet de sa robe et, d'un geste affirmé, retire ce vil bas et le jette au sol, aussi loin que le nylon veut bien voler, avec une telle impétuosité que Lise en est étonnée.

Elle la croyait douce, nostalgique, dénuée de la moindre vindicte. Eva, triomphale, sourit, elle a vaincu le serpent qui l'enserrait. La joie de cette insoumission silencieuse est interrompue par une prophétesse en bigoudis pointus et à la face de lune nommée Suzanne :

« La blonde, tu ferais mieux de garder ça avec toi, faut rien jeter, tout peut servir.

— Pour passer le café ? s'enquiert Lise.

— À la ferme, j'y ai déjà tordu le cou à des poulets avec un collant bien épais. Ça peut faire son affaire.

— Vous pensez qu'on va devoir tuer des poulets ? » s'étonne Lise en écarquillant les yeux.

Eva lui serre doucement le bras et la tire vers elle. Lise lui fait penser à ces porcelaines que l'on n'ose brusquer par la confrontation avec la réalité, de peur de les fêler. Elle ressent depuis le premier instant le besoin de la protéger. Peut-être que là, derrière, il faudra tuer pour rester en vie.

« Je suis le commandant de ce camp. Vous êtes maintenant placées sous la responsabilité de l'État français. Je m'assurerai que vous soyez traitées avec les mêmes droits que ceux accordés aux prisonniers de guerre. Vous serez nourries, logées et soignées. Les journées sont libres dans les îlots, les nuits consignées dans les baraques qui vous seront attribuées. Le courrier et les communications extérieures sont interdits. Tout manquement au règlement du camp est sévèrement réprimandé. Les évadés sont exécutés. Mesdames, bienvenue à Gurs. »

Davergne parle lentement, déroulant chaque syllabe. Les gardes ouvrent la barrière de bois rouge, les policiers font avancer la vague indésirable jusqu'à la baraque d'admission. Dans un coin, détaché, il supervise les nouvelles arrivées, concentré sur la liasse de papier qu'il tient dans ses mains. Une liste : nom, prénom, nationalité, carnet de famille, certificat de mariage, il connaît tout de celles qui sont à présent des numéros. Mais, à l'appel de chaque nom, c'est pourtant bien une femme qu'il voit pénétrer dans la baraque en bois vert et au petit toit pointu lui donnant un aspect de chalet. Et ce n'est pas un beau spectacle.

« Platz ! » Eva est avalée par le chalet. Une geôlière en uniforme la presse de décliner son identité complète. L'interrogatoire, de l'extérieur, dure de longues minutes. À toutes, pourtant, une seule et même question : « Pas d'enfant ? » Eva est interloquée. Bâtissait-on des camps pour celles qui n'avaient pas encore rempli la fonction imposée par la nature ? L'avait-elle ressenti, l'appel urgent, provenant des entrailles, pour que la vie se transmette, se poursuive hors d'elle, et qui fait le génie féminin ? Oui, la biologie comme un oracle s'était imposée, elle n'en avait pas eu. Aucune graine jusqu'alors n'avait poussé. Mais il restait encore bien des saisons ! « Non », dit-elle simplement. La longue cicatrice tire sur son ventre. Debout dans la cabane, elle aperçoit les Pyrénées éclairées par la lune, au travers de la petite fenêtre au châssis de bois au-dessus de l'épaule de la garde. Les mots lui semblent lointains, son regard est parti là-haut, sur les crêtes où personne ne va. C'est à la hauteur qu'Eva appartient, là où son esprit trouve l'air pur auquel il aspire. Sa fiche d'identité est tamponnée.

« Suivante ! » Les femmes se succèdent. « Mahler ! » Les souliers vernis de Lise s'avancent sur la pointe.

« Pas d'enfant ? »

Lise, la gorge nouée, hoche la tête.

« *Nicht* bébé ? répète encore la garde, agacée.

— Non », dit-elle les yeux baissés, comme avouant une faute pour laquelle on la juge.

« Parlo ! » Dita s'enfonce dans le sol argileux, lourd et gras dans ses escarpins français à talons. Au premier pas, elle y est jusqu'aux chevilles, au deuxième, jusqu'aux mollets. Suzanne donne un coup de coude à Eva : « Y aura peut-être pas de poulet, mais tu vois bien qu'il y a des poules, ici ! Suzanne, elle se trompe jamais ! »

Dita arrive crottée et essoufflée devant la geôlière, sans rien perdre de sa superbe.

« Bébé ? se contente désormais de prononcer la gardienne.

— Pas encore. Mais laissez-moi deux minutes avec ceux-là et ça peut s'arranger », lui répond-elle en montrant du doigt le grillage contre lequel les Espagnols, toujours plus nombreux, se pressent en sifflant et s'écrasent qui le nez, qui la bouche, qui un œil.

« Suivante ! » C'est comme un cabanon magique où le destin opère : une femme entre, un matricule sort ; sous la surveillance de deux gardes baïonnette au canon. Le commandant Davergne observe cette triste mue à laquelle il préside, voit les noms défiler sur la liste, mais, sitôt rayés, il lui semble en voir apparaître de nouveaux. La nuit sera longue.

*
* *

Crépuscule du soir
Comme une discrète plainte
S'élève encore le cri des oiseaux
Que j'ai créés.

De grises cloisons
S'effondrent,
Mes mains
Se retrouvent.

Ce que j'ai aimé
Je ne puis le saisir,
Ce qui m'entoure
Je ne puis le laisser.

Tout de sombrer.
La pénombre s'accroît.
Rien ne me pèse
Tel est le cours de la vie.

Hannah Arendt

3

« *Rubias ! Las rubias !* » Contre les barbelés, les Espagnols enthousiastes congratulent *las rubias* sur leurs chevelures dorées qui s'avancent, par groupe de soixante, dans l'allée centrale qui sépare les deux côtés du camp. Aux matricules enregistrés on distribue des sabots de bois. Tous sont hélas de la même taille. On en perd un, noyé immédiatement dans la boue dont il faut l'extirper à la main. Le martèlement des pieds qui claquaient sur les pistes du Vélodrome d'Hiver fait place à un piétinement sourd et collant. Sous les ampoules qui dansent au bout de poteaux électriques, et au son des sifflets, elles évoluent, passent devant les îlots dont on ne voit que des lettres en noir sur de gros panneaux, A, B, C ; un abécédaire pour prisonniers. Chacun est ceint de barbelés avec une seule ouverture flanquée d'une guérite que surveille un garde. D'un coup d'œil, Lise compte les lettres, treize îlots autour de la route centrale, près de trois cents baraques, le plan d'une ville nouvelle à mémoriser. Elle serre un peu plus fort la main d'Eva, qui ne tremble pas.

Il arrive parfois que deux regards étrangers se posent sur un même objet et s'en trouvent soudain familiers. Ainsi, Eva et Lise posent leurs yeux entremêlés sur le panneau devant lequel on les fait s'arrêter. Lettre G, baraque 25. Les coordonnées de leur naufrage. D'un geste presque théâtral, il ouvre grand la porte vermoulue sur laquelle une mousse verte a l'audace de pousser, comme si l'ensemble du camp, humide et moisi, ne suffisait pas à sa voracité. Sous la toile de tissu imperméable, un rectangle en bois brut, au toit pointu et aux poutres claires, donne l'impression, la porte franchie, d'être sous un triangle de bois, une église miniature en construction. Chaque poutre s'enracine dans le sol, trente à droite, trente à gauche, espacées d'un mètre environ. Ce sera leur espace, un mètre pour chacune. Moins que celui octroyé à la mousse. Lise découvre à l'intérieur la même symétrie que celle du camp ; un couloir et, de part et d'autre, des paillasses jonchant le sol, presque les unes sur les autres. Une ampoule danse sur un fil dénudé pendant du plafond au milieu de la pièce. À l'autre bout de la bâtisse neuve et déjà en ruine, une autre porte fait face à la première, comme un long corridor, un détroit entre deux mers ennemies. Peut-être est-on dans le vestibule de l'enfer, et donne-t-elle sur un trou empli de flammes ? Une dizaine d'ouvertures sans fenêtres laissent passer les courants d'air. Couvertes de simples clapets en bois plein, elles n'offrent aucun point de vue, l'extérieur n'existe plus. Pas de toilettes ni de lavabo, aucun meuble non plus.

Deux détenues charpentées claquent leurs sabots au sol comme des ruminants pressés d'aller à la paille, jouent des coudes dans le couloir trop exigu pour passer à deux entre les couchettes ; l'une d'elles, la plus fluette, s'étale sur le plancher maculé de boue fraîche. Lise profite de la distraction pour s'attribuer une paillasse tout au fond de la pièce et n'avoir qu'une seule voisine à laquelle adresser la parole, Eva. Une main la retient par l'épaule. La tanière semble déjà réservée. Celle qui l'a repérée lui grogne dessus dans un français mâtiné d'alsacien. Respecter l'espace vital de l'autre si l'on ne veut pas être mordu, la règle du monde animal s'applique aussi aux hommes et aux femmes dont l'humanité est mise à rude épreuve. Chaque place compte ; Lise étudie à la lueur de l'ampoule solitaire quelle pourrait être la sienne. Partout des femmes déjà installées, la plupart âgées d'à peine vingt ans. Les jeunes esprits ont besoin d'infini pour survivre, comment tiendront-elles ? On tente de se rétrécir afin de ne pas se heurter aux planches de bois. Elles ne mangeront pas ce soir. En auraient-elles la force ? « Extinction des feux ! » La porte se referme sur soixante vies, soixante cœurs de femmes emplis de ceux qu'elles ont laissés derrière elles.

La vue le cède aux autres sens, la pénombre fait résonner leurs voix, leurs gestes. À tâtons, on se cherche une amie, on veut retrouver un visage croisé dans le train. On entend des noms rebondir, se répéter, comme des échos d'ombres dans une grotte appelant un rayon de lumière.

« Lise, tu es là ?

« — Oui, je crois.

— Où ça ?

— Par ici. Et toi ?

— Là. »

Elle n'est pas seule, dans ce noir, puisque Eva est là. Lorsque chaque point d'interrogation a reçu son « oui, je suis là », les bruissements cessent dans la baraque. Toutes s'écroulent sur leurs couches de tissu rayé bleu et blanc, se blottissent dans la paille un peu plus profondément pour avoir moins froid.

Lise, assise en tailleur, ouvre sa valise et y plonge les doigts pour y trouver un gilet. Entre son majeur et son pouce roule alors un tissu qu'elle avait depuis longtemps oublié. Du bagage elle ressort une petite poupée tyrolienne. Frieda l'a cachée là pour accompagner son départ, elle n'y avait guère fait attention. Elle lui cache les yeux, honteuse à l'idée que la poupée puisse la voir dans ce boyau sordide, replace le tablier rouge sur sa robe verte, comme elle l'a fait tant de fois avant de se coucher. Le contact de ce tissu élimé par les heures passées à le triturer les soirs d'orage ou les veilles d'examen à l'école fait tomber les barrières du temps.

Berlin était une ville merveilleuse où son père, peu avant sa naissance, avait emmené Frieda. Ils avaient quitté le Tyrol autrichien et ses verts coteaux, la ville brillait de tous côtés. Il était employé de banque, officiait en bas de l'échelle, mais il savait créer, même au milieu de l'appartement vide qu'ils avaient loué, un sentiment d'abondance et de sécurité. Quoi qu'il arrive, Jakob Mahler y pourvoirait. Ses longs bras viendraient soulever Lise de terre et la ramener vers son cœur chaud contre lequel elle pourrait appuyer son visage. Il caresserait sa nuque, flatterait ses cheveux de sa grande main et tout serait oublié. Derrière ses lunettes rondes aux verres épais, ses yeux étaient minuscules, lointains, comme s'éloignant déjà. Il l'avait aidée à souffler ses cinq premières bougies et lui avait offert, ce jour-là, la petite poupée qui venait de l'endroit où elle avait été conçue. Elle était belle, et si douce à toucher, Lise l'avait fièrement apportée à l'école pour la montrer à ses amies. Les pestes s'étaient moquées d'elle, toute brune aux indomptables épis avec sa poupée aux tresses blondes. La classe était allée ce jour-là en excursion à Wannsee, une île dans la ville trônant au milieu de trois lacs où l'on vient se baigner à la belle saison. Et elle y avait oublié le jouet qui lui avait donné du tracas. Elle était rentrée à la maison la tête basse, décidée à ne plus regarder son père, indigne des bras de géant qui lui avaient fait un si beau cadeau. Jakob était un homme avisé qui respectait même les chagrins d'un enfant. Après le dîner, il avait endossé son imperméable et, en pleine nuit, était allé sur l'île de la poupée naufragée. Il était revenu victorieux, tout trempé, peu après minuit. Lise l'avait trouvée au réveil à côté d'elle sur son oreiller. Sa joie était incommensurable maintenant qu'elle savait qu'on pouvait perdre ce que l'on aime. Quelques jours après, quelqu'un avait frappé à la porte de leur appartement. Elle n'avait pas compris ce qui se disait entre son père et l'homme à l'habit gris. Les grands bras gesticulaient, tremblaient, se levaient au ciel avant de retomber. 1915 venait de s'achever, il fallait au pays ces bras-là pour porter les fusils, et non chercher les poupées oubliées. Jakob venait d'être appelé à combattre. Derrière ses verres, ses petits yeux avaient pleuré, il l'avait embrassée sur le front, il était parti. On avait ramené six mois plus tard un uniforme aux bras ballants. Lise avait mis des années à comprendre qu'il ne reviendrait pas. Un papa était parti, des habits vides étaient revenus. Peut-être avait-il simplement mué, et de nouveaux habits lui avaient-ils poussé. Elle avait acquis, à la veille de la puberté, une certitude ; la guerre, ça dissout les papas. Lise avait surmonté son chagrin en se disant que les papas étaient fiers d'être dissous, pour protéger leurs petites filles. Mais pourquoi aujourd'hui voulait-on aussi dissoudre les filles ?

Quand soudain face à nous l'avenir disparaît, on se tourne vers notre passé.

Hanz Platz aimait sa fille Eva comme on aime une poupée, immobile, silencieuse. Il n'avait pas le temps pour l'écouter, confiné dans sa bibliothèque aux quatre murs recouverts de livres. Leurs reliures dorées sentaient bon le cuir. Lorsque le soleil entrait par la fenêtre, il faisait briller en lettres d'or les noms illustres, Goethe, Schiller, Rilke. C'était sa vie, son monde, ses uniques amis. Le père d'Eva croyait à la supériorité de la Raison et des Idées sur toute réalité. Dentiste des beaux quartiers de Munich, devenu père sur le tard, il lui offrait une enfance gâtée, celle qui fait les adultes satisfaits, parfois même arrogants, et lui avait acheté dix poupées pour son dixième anniversaire. La tête était en porcelaine de Sèvres, elles venaient de la Maison Jumeau, à Paris. Ces demoiselles portaient des toilettes 1900, tout en dentelles et en rubans. Elles étaient si précieuses qu'Eva n'avait pas le droit d'y toucher et se contentait de les regarder. De même sa mère, cantatrice à l'opéra, se laissait admirer mais non décoiffer. Jamais elle ne l'embrassait, de peur de faire filer son rouge. Bien paraître, pour elle, cela comptait beaucoup. Elle avait essayé de mettre Eva à la danse, mais avait été humiliée par l'apprenti petit rat qui mettait visiblement de la mauvaise volonté dans ses pirouettes et n'était qu'un rat des champs. Que diraient les dames si la grande Irma Platz avait une fille qui ne savait pas danser ! Pour sauver l'honneur, elle l'avait inscrite en désespoir de cause en classe de piano. Eva s'était mise à jouer des heures dans la bibliothèque, redoublant d'efforts pour arracher Hanz quelques instants à sa lecture, mais rien n'y faisait. Eva aurait voulu être un livre, pourvu qu'à son tour il l'admire rien qu'un instant. Parfois il lisait à voix haute, et les mots modulaient ses intonations, les rejetaient, syncopaient, puis repartaient au galop, quelle mélodie ! Il parlait de l'Allemagne, de sa grandeur, de son passé, de la décadence après la Grande Guerre, de ce qu'on leur avait volé. La Beauté et la Vérité étaient les deux seules mamelles de la nation, qui ne vivait que par elles. Et elles avaient enfanté un seul peuple qu'elles avaient nourri au sein, les Aryens. Ils sortiraient l'humanité de l'insignifiance. Bientôt, la bibliothèque aux lettres dorées devint le lieu de passage d'hommes aux mêmes idées. Enfin, Hanz s'était fait des amis. Ils n'étaient ni grands, ni blonds, ni beaux, mais ils étaient nazis, et croyaient être tout cela. Eva leur servait de la bière brassée, déçue par leur banalité. Son père avait changé. Enfiévré, il ponctuait ses phrases d'un coup de poing sur la table, qui faisait voler les verres de bière. De la bibliothèque, menaces et hurlements émanaient à présent, on avait délaissé Kant et on parlait de Hitler. Mais Eva refusait d'abandonner la Beauté et la Vérité. Elles avaient été ses compagnes de solitude, elles avaient fait d'elle une femme idéaliste. C'était aux yeux de certains un handicap, pour elle une richesse.

Quand elle était rentrée de Bayreuth, elle n'avait pas dit à son père qu'elle avait croisé le Führer. Hanz avait découvert dans les journaux du lendemain la photo de leur poignée de main. Lui ! Serrant la main de sa fille ! Comment était-il, que lui avait-il dit, voulait-il l'épouser ? Hanz exultait, l'interrogeait, insatiable. C'était la première fois qu'il l'écoutait. La première fois qu'il semblait lui pardonner sa faute, dont on s'était interdit de parler. La première fois, hélas, qu'elle n'avait plus envie de lui répondre. Ce n'était pas elle qui l'intéressait, elle qui avait grandi là, présente chaque jour depuis vingt-neuf ans. C'était cet homme. Hanz avait découpé la photo avec une application toute chirurgicale pour l'exposer ensuite dans son cabinet. Eva s'était levée de table, était allée droit vers la bibliothèque, et, sans hésiter, avait pris le premier livre et l'avait jeté par terre. Elle avait fait le tour de la pièce, s'emparant des reliures à deux mains, les projetant au sol, les déchirant, donnant des coups de pied dans leurs feuilles inanimées, laissant les morceaux des anciens sages mutilés sur le plancher. La tempête passée, elle s'était assise dans le fauteuil de son père et s'était mise à sangloter comme jamais. Sur son papier à en-tête, elle avait écrit un simple mot : « Adieu. » Elle avait dit au revoir au piano, aux poupées, aux meubles, à l'argenterie et à la bonne qui l'astiquait, à sa mère qui n'avait pas su l'aimer, à ce qu'ils l'avaient obligée à faire et dont elle ne se remettrait jamais, et elle était partie, emportant avec elle quelques partitions. Les mots avaient trahi la Beauté et la Vérité, mais la musique était encore une alliée. Elle avait pris le premier train, elle était allée, seule, au wagon-restaurant. Elle s'était assise une dernière fois devant les nappes blanches, aux couverts lourds et ciselés, et avait commandé un *Apflelstrudel*, un dernier dessert allemand, tandis que le train quittait le pays qui avait été le sien.

Ce premier soir, à Gurs, trois mille femmes ont les paupières ouvertes sur les jeunes filles qu'elles ont été, espérant retrouver l'innocence qui les sauvera jusqu'au lendemain.

*
* *

Silence, silence des sources éclosent dans
    mon cœur.
Jusqu'à ce que les portes soient fermées
Nous devons être muets.

Ne te réjouis pas, mon enfant, ton rire
    pourrait nous trahir.
L'ennemi ne doit pas survivre au printemps,
Pas plus qu'une feuille ne survit à l'automne.

Laisse les sources couler tranquillement,
Sois silencieux et espère
Que la liberté ramènera ton père.
Dors, mon enfant, dors.

4

Six heures du matin, le ciel est à pied d'œuvre pour hisser le jour nouveau, il laisse tomber à ses pieds, glissant lentement le long des cimes, son vêtement sombre et opaque, pour passer les couleurs de l'aurore.

Sur le clapet de bois faisant office de fenêtre, un rat fait sa toilette. Pas n'importe quel rongeur, un rat trompette, noir, à la queue épaisse, striée, et au long nez fin, dont les poils mouillés luisants, regroupés par paquets, ressemblent à des écailles. De la taille d'une main, la boule touffue soudain plonge en piqué sur le ventre d'Eva, rebondit sur ses pattes dans un couinement et s'enfonce dans la paille, espérant y trouver des larves. D'un bond, Eva se gratte de la tête aux pieds et pousse des hurlements à rendre muets les coqs des exploitations agricoles voisines du camp. L'incompréhension, la panique, le dégoût se bousculent dans son esprit. La baraque 25 est réveillée. Les cinquante-neuf autres femmes fouillent la paille aplatie par le poids de leur corps, à la recherche du trompettiste inopportun. Un soulèvement de poussière, de cris, de bras de tous âges transforme la pièce en volière.

À côté d'elle, Lise fouille sa couche rudimentaire. Elle sent quelque chose de rigide, plonge la main dans la paille et en ressort... un bout de papier griffonné ! Elle le déplie avidement, comme s'il lui était destiné. *Chère Mademoiselle, je ne te connais pas, mais j'ai rempli cette paillasse à ton intention. Dors-y bien. Ernesto, combattant de la guerre d'Espagne.* Lise, interdite, lit le mot à voix haute à Eva.

« Mais... Mais... comment il me connaît ? » l'interroge-t-elle en remontant le col de sa blouse comme s'il la regardait à travers le papier. Les Espagnols, qui avaient dû laisser des îlots aux nouvelles arrivantes, avaient dissimulé des petits mots à l'attention des *rubias* et avaient donné un peu de leur paille pour emplir leur matelas de fortune. Eux peuvent supporter le sol et son humidité qui ne vous lâche pas, mais des femmes, peu importe d'où elles viennent, méritent mieux.

« Il faut savoir qui c'est ! dit Eva, qui préfère subitement chercher l'Espagnol plutôt que le rat.

— Mais non ! Enfin, c'est indécent ! Comment ose-t-il ? Il faut le détruire !

— L'Espagnol ou le mot ?

— Le mot, voyons ! Si on me trouve avec ça, que va-t-on penser de moi ?

— Que je ne t'ai jamais vue avec d'aussi belles couleurs », se moque Eva, face à Lise dont les joues, d'un pâle rose anémone, sont devenues pivoine.

Les autres femmes, l'oreille tendue, ne tardent pas à plonger à nouveau leurs mains dans les sacs, remuant le contenu comme une pochette-surprise, à la recherche d'un mot galant. La grosse Suzanne, qui n'a pas de patience, retourne l'enveloppe de tissu et vide le contenu sur le sol. « Moi, un brigadiste rouge, j'en ferai mon affaire ! Les bonshommes, je les aime comme la viande, bien rouges ! »

Sise près de la route des Angles, qui va d'Oloron-Sainte-Marie au camp de Gurs, Suzanne voyait depuis un an déjà les camions de réfugiés passer sous ses fenêtres pour déverser leur lot de pauvres hères. Quelques semaines plus tôt, lorsque avril pleuvait à l'horizontale dans la vallée, la curiosité l'avait empêchée de détourner le regard d'un chargement de prisonniers. On les appelait « les rouges ». Pour les gens de la région, cela veut dire « assassins de curés, brigands... ». Elle devait les voir de ses propres yeux.

Un seul regard peut bouleverser une vie. C'est ainsi qu'elle avait croisé celui de Pedro. Élève pilote de bombardier blessé par balle à la cuisse, il avait été soigné à l'hôpital de Cognac, en Charente, avant de s'échapper et d'être repris. Tandis qu'il passait, serré contre trente autres zouaves, ses traits sculptés, aquilins l'avaient saisie. Ses cheveux longs se déployaient de chaque côté de son visage comme des ailes. Il l'avait regardée, lui avait fait un clin d'œil. Pedro aimait les femmes charpentées. Le cœur de Suzanne était prêt à s'envoler. Elle avait recoiffé ses cheveux rouquins et lui avait fait un signe de la main. C'était fort et soudain, c'était doux et amer, indicible ; l'amour soudain en elle était né. Suzanne avait enrôlé plusieurs amies de la vallée, elles aussi désœuvrées et sans maris, et était allée se promener aux abords du camp pour distribuer des vêtements et des gâteaux au chocolat. Tout près, derrière les barbelés, elle n'avait pas découvert des monstres effrayants, mais des hommes. Des hommes qui avaient lutté pour soutenir un gouvernement plutôt qu'un autre. Contre une part de gâteau, elle questionnait des prisonniers, mais elle ne connaissait pas son nom de famille, et des Pedro, dans le camp, il y en avait plus de trois cents. Les gardes commençaient à repérer sa ronde, les soldats du 18e régiment d'infanterie de Pau fermaient les yeux, mais ceux du 57e régiment d'infanterie de Bordeaux les avaient bien ouverts et la chassaient. Elle avait dans sa tête ourdi des plans d'évasion divers et variés, mais, puisqu'elle ne pouvait pas le trouver et le faire sortir, elle en était arrivée à la conclusion que c'était elle qui devait entrer.

Lorsqu'elle avait entendu qu'un général arrivait à Oloron pour accueillir des trains d'indésirables, attendus dans la soirée, elle était venue, ses bigoudis pour la nuit déjà posés, observer ce que Paris amenait de beau. Des femmes ! Et des blondes, qui plus est ! Pedro peut-être les aimerait. Une fois le général à sa hauteur, elle lui avait décoché un coup de pied dans les parties et lui avait dit : « Si on fait la guerre commandés par des douillets pareils, c'est pas étonnant qu'on la perde ! » Le torrent de femmes coulait du quai jusqu'à la place centrale, le général accusait l'outrage : « Qu'on l'embarque », avait-il ordonné pour l'exemple. Le courant l'avait happée, elle s'était faufilée jusqu'aux abords d'un camion, on l'avait poussée. Son cœur battait plus fort que jamais, la barrière rouge et blanc s'était levée, elle était à l'intérieur !

En quelques minutes, avant que le soleil soit totalement levé, on était passé par les émotions les plus opposées, et tout le monde en était quitte pour un grand éclat de rire devant la Suzanne aux cheveux roux couverts de paille, qui, n'ayant trouvé aucune trace de Pedro, la mine déçue, conclut : « Tous des cons ! Ça vaut bien la peine de se mettre en frais pour eux ! »

Au loin, les gardiens en uniforme français haranguent les captives ; inspection des logements, distribution des petits déjeuners. Une grande marmite bouillante contenant un café clair dilué, de la confiture allongée avec de l'eau ainsi que du pain, « un morceau par personne, pour toute la journée », telle est l'instruction donnée. Un pain est prévu pour six femmes, soit dix pains, qui doivent faire la journée.

« C'est tout ? Vous croyez qu'on va le multiplier ? » ironise la grosse Suzanne.

— Non, à la dame qui geint, y a aussi l'air frais et l'eau froide », lance le gardien.

Petit et bedonnant, il ne connaît visiblement pas la privation. Son accent, ses jambes basses et ses épaules trapues laissent penser qu'il est du cru, nourri par les fermiers alentour.

« Toilette obligatoire, extinction de l'eau à neuf heures », ajoute-t-il encore avant de fermer la porte.

À se demander si cet homme-là sait l'existence des verbes. Eva s'empare des pains et commence à les rompre de ses mains sales. Mais l'épaisse croûte brune résiste et craque. Elle renonce et passe le pain à Lise, qui reprend l'opération en cours, orchestrant la coupe des tranches devant soixante paires d'yeux fixées sur ses mains. « Celui-ci est trop gros ! » « Non, celui-là plus petit ! » « Celui-là il va s'envoler au premier coup de vent ! » Les critiques fusent, chacune craint d'être lésée. Le découpage du pain concentre toutes les crispations, une coupeuse en chef doit être désignée. On envisage Suzanne, qui a le bras fort comme la cuisse de certaines, mais, le couteau en main, celle-ci pose un tel regard de convoitise sur les miches que l'on se ravise rapidement. Lise passe au crible l'ensemble de la baraque et toutes tendent leurs paumes comme pour une inspection militaire. Lise s'arrête sur une main sans taches ni rides, dont l'amande des ongles force l'admiration. Elle appartient à une maigrichonne, une bourgeoise avec des manières. Suzanne émet un sifflement d'appréciation : « Avec des mains comme ça, on va l'appeler Madame. » Lise l'interroge sur son nom. « Mathilde Geneviève de la… », commence-t-elle, interrompue par Suzanne la goulue : « C'est notre coupeuse de pain ! Les nobles français, on leur a déjà coupé la tête parce qu'ils gardaient tout le pain pour eux, ils ont compris la leçon ! » Mathilde Geneviève est française et a épousé un colonel allemand de vingt ans son aîné rencontré au beau milieu de la Première Guerre mondiale, qui s'est volatilisé sitôt l'armistice signé. Elle n'a jamais pu divorcer, et avait oublié ces noces consommées deux décennies plus tôt, jusqu'à ce qu'on l'informe qu'en tant qu'épouse allemande elle tombait sous le coup du décret visant les indésirables. Elle acquiesce sans ciller et se met scrupuleusement à l'œuvre. Le choix se révèle judicieux, elle use d'un étalon infaillible ; chaque tranche fait la longueur de son pouce, qu'elle a long.

Liché le café, becqueté le pain jusqu'à la mie, commence l'excursion la plus périlleuse du voyage, la recherche des toilettes. Toutes laissent à Suzanne le soin d'ouvrir la porte de la baraque en premier. Derrière ses épaules, elles font quelques pas en colonne, avant d'être dispersées, saisies par un vertige ; l'étrange sensation d'être enfermée au cœur d'une immensité, prise au piège dans un infini sans visage. À perte de vue, les mêmes baraques de bois, à l'alignement rigoureux, rien d'autre sur quoi poser son regard. Le camp en plein jour ressemble à la tête d'un chauve. Pas un arbre, pas un buisson. Au milieu de la plaine fertile, le camp se dresse comme une oasis de misère, d'ordre et de désolation. Chaque brin d'herbe semble en avoir été intentionnellement rasé. Une tonsure de moine chrétien. Une nausée contracte le corps d'Eva. Elle qui aimait tant s'allonger dans la fraîcheur du bois de Boulogne, sentir l'odeur du soir émaner des arbres, comment vivre dans un endroit d'où l'herbe a été chassée ?

Les allées sont à cette heure peuplées de lézards à la peau cuivrée qui s'écartent à leur passage et disparaissent sous les baraques. Un petit groupe encore rassemblé autour d'Eva s'arrête à quelques dizaines de mètres de là devant un drôle d'assemblage. Au bout de chaque îlot, une plate-forme de bois à ciel ouvert s'élève sur des pilotis de deux mètres de haut. Cette estrade miniature est percée de trous ronds, sous lesquels sont placés au sol d'énormes tonneaux. Autour des trous, des cloisons arrivant à hauteur de la taille, rien à quoi se tenir. Lise entame l'ascension des six marches branlantes, sans rampe, suivie de près par Suzanne puis par Dita Parlo, qui joue des coudes, comme pour une soirée de première de cinéma, bien décidée à gravir les marches en premier. Perchée sur l'estrade, face au trou, elle découvre avec embarras l'absence de porte, de quoi s'essuyer. D'en bas, les femmes de la baraque 25 profitent d'un spectacle inédit, Dita Parlo la grande actrice, accroupie, concentrée, sur une scène de cabinets. Les premières éclaireuses redescendent, soulagées d'un peu d'elles-mêmes et de beaucoup de dignité, mais en bas, une Polonaise, Dagmara, se plie en deux, traversée de soubresauts. Vieillarde d'à peine soixante ans, elle avait jusqu'alors travaillé avec vaillance comme colporteuse dans le bassin minier du Nord-Pas-de-Calais, où elle avait émigré, parcourant les cités ouvrières pour proposer les vêtements de travail qu'elle confectionnait dans une usine flambant neuve, à laquelle elle subtilisait quand elle le pouvait des plumes d'oie pour coudre le soir des *pierzyna*, couette polonaise appréciée des juifs toujours plus nombreux à venir là. L'usine employait beaucoup de jeunes filles, aux salaires minorés, qui, pour quelques francs de plus, satisfaisaient bien d'autres besoins sans jamais oser se plaindre aux autorités. Dagmara s'effondre en larmes au pied de l'escalier menant à cet Olympe de latrines.

« Je ne peux pas monter, je n'y arrive pas », avoue-t-elle. Eva et Lise lui prennent chacune un bras et la soutiennent fermement.

« Nous sommes dans la baraque 25, prononce doucement Eva. Lorsque vous aurez besoin de nous, dites simplement ce mot, peu importe le moment. Ananas.

— Ananas ? », s'étonne la Polonaise, à qui il manque deux dents.

Elle le répète encore, ce mot magique qui évoque en elle un dépaysement lointain et sucré. La file d'attente pour la plate-forme s'étend maintenant sur trois baraques entières.

L'îlot comporte mille cinq cents femmes, toutes ont fini de déjeuner. On fait connaissance pour tuer le temps. La première question que l'on pose, c'est : « D'où tu viens ? », comme si entendre le nom d'une ville, d'un pays qui est le sien suffisait à rompre l'impression de solitude. Dans la file, on change de place, on se regroupe entre nationalités, tel un essaim en proie à un mouvement et un bourdonnement furibonds. Le soleil entame son ascension et chahute tout ce qui se trouve sur sa course. Sous les pieds, la glaise si poisseuse devient dure. Des voix masculines, de loin, se font entendre. Elles s'approche. Sur les rails qui longent par l'extérieur la clôture de barbelés du camp avance un petit train de wagonnets qui marque l'arrêt devant chaque îlot. Lorsqu'il accoste à leur hauteur, les femmes en oublient leur envie pressante et se collent contre le grillage. Des Espagnols le conduisent, qui courent se saisir des tonneaux sous les latrines et les déchargent dans les wagons-récipients.

« Tiens, v'là l'Or Express qui arrive », commente Suzanne la goulue. Les Espagnols, la veille au soir de leur arrivée, avaient les cheveux en bataille, des barbes broussailleuses, des chemises débraillées. Ils avaient, pour ces femmes du Nord, l'air de vrais bandits. Ce matin, ils apparaissent rasés de près, les cheveux plaqués. Ils ont en pleine nuit lavé à l'eau froide leurs vêtements, bravant le couvre-feu obligatoire après vingt-deux heures. Certains ont partagé en trois dans sa longueur un foulard rouge qu'ils avaient déniché, et noué le fin tissu autour du cou. D'autres ont découpé la chemise colorée d'un Italien pendant son sommeil et qui s'est retrouvé au matin torse nu. Ils s'en sont fait des pochettes, cousues ou piquées avec une épingle à nourrice sur leur tricot de peau.

Les femmes de l'îlot G sont fascinées par l'apparition. Dita, bousculant les autres, s'approche du premier d'entre eux et lui tend sa main à baiser. Le bras reste en suspens, l'Espagnol est immobilisé par un des gardes qui le met en joue et lui ordonne de reprendre son travail sur-le-champ. En quelques instants, le convoi est prêt à repartir, transportant son chargement à ciel ouvert. Elles leur sourient, ils leur envoient des baisers. Voilà des hommes qui n'avaient pas vu de femmes depuis un an, ils en ont soudain sous les yeux des milliers.

« Le petit train de la merde, on aura tout vu... Y a qu'en France qu'on pense à des choses comme ça... C'est quand même bien organisé », admet Suzanne en direction de Lise.

Mais Lise ne répond pas, les yeux rivés sur le train qui s'éloigne, le cœur vivant.

*
* *

Pourquoi me donnes-tu la main
Avec crainte comme un secret ?
Viens-tu d'un pays si lointain
Que tu ne connaisses notre vin ?

Ignores-tu la plus belle ardeur
Vis-tu donc si seul ?
Que tu ne puisses par le cœur par le sang
Ne faire qu'un en l'autre ?

Ne sais-tu pas les joies de la journée
À aller en compagnie de l'être cher ?
Ne sais-tu pas la séparation du soir
À aller son chemin tout mélancolique ?

Viens avec moi, ne me repousse pas,
Laisse là ton effroi
Et si tu ne peux t'abandonner
Viens prendre et donner.

Puis parcourir le champ à point
De coquelicots et de trèfle sauvage
Puis le vaste monde
Cela nous fait mal.

Hannah Arendt

5

Près des barbelés gémissent cinq grandes auges que transperce un tuyau de plomb parsemé de trous. Il faut les appeler robinets, et ces simples baquets au-dessus de la boue, la salle d'eau. Pendant deux heures, le matin, elles laissent s'échapper non pas l'écoulement continu, gaillard et syncopé d'une cascade, ni même le bruit de gouttes charnues tombant du ciel avec gravité, mais une eau brisée, un filet à la sonorité discrète, un murmure à l'oreille d'Eva, face au vacarme humain. Hélas ! là encore, pas de quoi se dissimuler aux autres. Les soldats de la glorieuse armée française ne s'y trompent pas et patrouillent étrangement quand vient l'heure de la toilette. Cinq cents femmes s'entassent devant les baquets, aucune n'ose en premier se déshabiller, alors qu'on sait le goutte-à-goutte compté. Il n'y a plus qu'une heure pour se laver, faire son linge et sa vaisselle avant de retourner au désert. « Ils vont en avoir pour leur argent », lance la grosse Suzanne, en se dépoilant franchement. Elle saisit d'une main sa tasse et sa cuillère, de l'autre le savon, et commence à se laver le corps tout en rinçant ses objets. Ce n'est pas le regard des hommes, déshumanisé par l'uniforme, qui est le plus lourd à porter. Celui des autres femmes, inquisiteur, parfois inquiet, se pose gratuitement ou avec jalousie sur les parties que l'on ne souhaite pas montrer, dont on n'est pas les plus fières. On se scrute. La question des complexes prend alors tout son sens. Si l'on a une belle poitrine, on ne se paie pas le luxe de la pudeur et l'on se dénude lestement. Mais les plus âgées, les trois pelées et les deux tondues, les petits seins et ceux qui tombent se sentent tenus en joue. Certaines se lavent par petits bouts, dissimulant tant bien que mal le reste, bousculées dans leur effort par leurs voisines qui lavent un linge taché, une bassine, une assiette. Mathilde Geneviève, dont on ne sait toujours pas le nom mais simplement la particule, et qu'on appelle par conséquent « Madame de », déploie un objet dont elle se couvre et qui suscite en un instant convoitise et admiration, un ciré. Un morceau de tissu huilé vert bouteille.

« On s'refuse rien ! lance Suzanne, même à poil y en a qui trouvent le moyen d'être mieux sapées ! »

Ni une ni deux, Madame de lui retourne un aller-retour dans sa ronde figure. Elle joint le mot au geste :

« On tient son rang, jeune fille ! »

Eva observe la scène comme derrière une vitre, se tenant au bassin. Elle supplie Lise, restée à côté d'elle.

« Ma cicatrice... Elles vont la voir. Je ne veux pas qu'elles sachent, elles vont le dire. Personne ne doit savoir, promets-le ! »

Ce n'est pas de la coquetterie mais un cri de souffrance.

Lise sait que pour Eva se mettre à nu est un supplice. Le mot secret des premiers instants de leur amitié, soudain, ne peut plus être d'aucun secours.

« Promets-le, Lise, promets-le ! »

Lise ne sait que promettre, mais elle promet. Elle étreint profondément son Eva, avant de renoncer aussi, par solidarité, à se laver aujourd'hui.

« L'eau trouve toujours son chemin, la rassure-t-elle. Demain sera un autre jour. »

Sur le chemin du retour vers la baraque, le soleil est déjà haut. Lise presse le pas, Eva traîne des pieds, la vie se dessine sous leurs yeux. Du linge pend, son eau goutte sur des fils barbelés auxquels les prisonnières ont trouvé un aspect pratique. Elles aperçoivent des femmes qui tricotent, cousent et font du café sur des braseros improvisés. Elles font la rencontre la plus inattendue de la matinée, une cage à oiseaux avec des canaris qui virevoltent naïvement et gazouillent comme s'ils étaient en liberté. Quelle tristesse, pense Lise, ils ne savent pas. Comme ils sont heureux, songe à l'inverse Eva, pourvu qu'ils ne sachent jamais !

La baraque 25 est déserte. Lise se saisit de deux paillasses et les installe à l'extérieur, contre le mur de la face nord de la pièce, où l'ombre du toit en pente les protégera encore un moment.

« *Si tu as faim, chante, si tu as mal, ris*, me disait souvent ma mère. Chante avec moi, Eva, peut-être alors rirons-nous.

— Je ne veux plus jamais chanter en allemand.

— Alors, une chanson française !

— Elles parlent toutes de vin et de boudin, cela me donnera encore plus faim.

— Je vais chanter en yiddish en ce cas.

— Est-ce la langue qu'on parle dans ta famille ?

— C'est celle dans laquelle nous rêvons. Ferme les yeux. »

Lise passe sa main dans les cheveux blonds d'Eva, collés par la poussière et la chaleur, et entame une berceuse.

> *Dors, dors, dors, ton père va aller au village*
> *Il te rapportera une pomme et ta tête sera*
> *guérie.*
> *Il te rapportera une noix et ton pied sera*
> *guéri.*
> *Il te rapportera un canard et ta main sera*
> *guérie.*
> *Il te rapportera un lapin et ton nez sera*
> *guéri.*
> *Il te rapportera un oiseau et tes yeux seront*
> *guéris.*

Mais aucune des deux n'a de père, l'une n'a au monde que l'autre pour se guérir. Lise sent sous ses mains le corps d'Eva lâcher prise, s'abandonner. Son cœur grandit d'un coup dans sa poitrine ; elle serait une bonne mère, si on lui en donnait l'occasion.

Dans la baraque, le papier goudronné qui recouvre le bois livre les corps à une chaleur étouffante. Lise découvre avec effroi que son bout de pain a disparu. Elle l'avait gardé pour le soir. Comment osent-elles ! crie-t-elle, au comble de la colère… Puis, observant le reste de la baraque, elle aperçoit les gamelles renversées, des miettes disséminées. Tout ce qui pouvait être gratté, grignoté ou rongé n'est plus. Le rat trompette était en mission de repérage. Pendant leur absence, il a ramené l'ensemble de sa famille et fait une razzia. Dénichant une ficelle, elle suspend le reste d'un bout de pain, retrouvé entamé dans un coin, à la poutre la plus haute qu'elle peut atteindre. En suspension, il sera à l'abri des rongeurs chapardeurs. Ils ne sont tout de même pas funambules ! Laissant sa pitance se balancer à la cordelette, elle sort de la baraque. Un monticule s'élève au-dessus du goudron, elle y grimpe et laisse son regard parcourir ce qui l'entoure. La montagne happe son attention, cette chose immobile et pourtant si puissante, aux couleurs irréelles, bleues hier, roses tantôt, mordorées à présent. Une muraille de roche qui ridiculise la petitesse des barbelés. Le paysage est si paisible, au loin un vieux paysan laboure sa terre. Des arbres, des fruits poussent – on peine à croire à la réalité de la guerre. Des Sisyphe au teint andalou transportent des charrettes inlassablement, de droite à gauche puis de gauche à droite. Les baraques, la cahute à déféquer, tout semble loin, enfin les voix humaines se taisent, enfin personne ne voit son visage. C'est quand on en a le loisir que l'on est incapable de se laisser aller à l'émotion, aucun pleur, aucun cri, rien.

À midi, soupe de navets ou de pois chiches, suivant ce que l'on a. On sert une eau chaude trouble dans laquelle flottent des pois durs comme des cailloux que l'on ne peut mâcher. Le soir, même régime.

Eva n'a pu bouger de la journée, comme lestée par la gravité. En se couchant sur sa paillasse, grelottant de froid, elle sent soudain quelque chose comme le parfum d'une prairie. Près des barbelés, à côté des auges, Lise a repéré un mince filet d'eau qui s'échappe sur le dévers. Elle l'a suivi et a découvert qu'il nourrit, à quelques pouces du grillage, une touffe d'herbe fraîche, luisante. Elle a passé sa main, l'a contorsionnée, et en se faisant quelques bleus au poignet, a réussi à en couper quelques brins. Surtout ne pas les arracher, pour qu'ils croissent à nouveau. Elle en a fait un bouquet en nouant les tiges avec une des pousses et l'a déposé sur le lit d'Eva. L'odeur guérit cette dernière, elle s'enfonce mollement dans la nuit.

*
* *

*Du Vél d'Hiv jusqu'au bus
De l'autobus au wagon,
Du wagon jusqu'à la gare,
Terminus, tout le monde descend !*

*Mais où va-t-on, monsieur l'agent ?
Pouvez-vous nous renseigner ?
Tous au camp !
On va camper !*

Y a des grillages, des barbelés,
Autant d'baraques que d'gardes armés,
Beaucoup d'étoiles sous le ciel,
Surtout des jaunes, qui vont camper

Faut pas dire concentration,
Ça plaît pas aux Français
Faut pas dire internement,
Mais on peut le penser

Alors comment appeler
Le bel endroit où nous dormons ?
Camp de privation de liberté,
Toutes égales, maintenant fraternisez !

*
* *

Le silence est déchiré par des pleurs, des lamentations prononcées en toutes les langues. Sans la lumière du jour qui les expose au regard des autres, les femmes se laissent aller à la folie et aux cris. Des pieds traînent sur le sol devant la baraque 25, la porte s'ouvre dans un fracas, l'ampoule dansante du plafond, fatiguée, s'allume d'un coup. Grumel, le garde responsable de l'îlot, rebaptisé Grumeau parce qu'il a une tête à cailler le lait, s'avance, éclairé par le dessus, tel un fantôme. Tellement sanglé dans son uniforme que son col et sa ceinture l'empêche presque de respirer. Il avance en frottant ses semelles par terre, éventrant les paillasses, exhalant une âcre odeur d'alcool. Il tente de se grandir mais le sol le suit de trop près. Il veut avoir le port martial mais il lui manque pour cela un cou. Bouffi, les yeux porcins, son visage est barbouillé de rouge à lèvres du nez jusqu'au menton. On dirait un clown, mais il ne prête pas à rire. Grumeau sort de sa poche un morceau de viande, qu'il agite au bout de ses doigts gras, et lèche le jus coulant sur ses paumes. Il arpente le couloir entre les couches, un fouet à chiens dans l'autre main. « Debout ! En rang les boches ! » hurle-t-il, faisant abattre son fouet sur celles qui tardent à s'exécuter. Satisfait de son entrée, il s'adosse au mur, s'essuie sur son ventre, saisit la fille qui occupe la première paillasse à sa portée, passe son bras autour de ses épaules qu'il dénude, la serre contre lui. Il rit, l'embrasse à pleine bouche, à pleines dents, il lance sa main encore pleine de sauce à la recherche de son sein sous sa blouse. La Belge de dix-sept ans s'immobilise. Peut-être que le prédateur ne la verra plus si elle cesse de bouger. La main a trouvé son chemin et referme ses doigts sur le jeune sein, comme une tenaille.

« Défilez ! Je veux voir la plus jolie ! Celle qui vient sans discuter aura à manger ! »

Ce visiteur nocturne n'en est pas, de toute évidence, à sa première balade.

Alors les Indésirables de la baraque 25, nu-pieds, se lancent dans une procession sans rythme, entre les couches de paille, devant le garde Grumeau, dont la tête peu à peu s'affaisse sur son torse. Il se met à ronfler, le défilé s'arrête, puis il revient à lui dans un sursaut, fouette dans le vide, et la marche reprend. Le carnassier renifle-t-il la candeur dans le giron d'une femme ? C'est vers Lise qu'il tend le doigt, un œil ouvert, l'autre fermé, pour ne pas loucher.

« Tu as déjà mangé français ? » lui souffle-t-il derrière la nuque, remontant ses cheveux bruns.

Toutes voudraient intervenir, mais que faire contre Priape déchaîné ? Eva sent qu'une main dans la pénombre lui tend un linge, on lui souffle à l'oreille qu'il est taché de sang. Elle l'approche doucement du bras de Lise qu'elle effleure, espérant que celle-ci l'attrape sans broncher.

« Laissez-la, vous voyez bien qu'elle est indisposée ! » lance Suzanne.

Lise comprend alors le plan de sauvetage dont elle est l'objet, et tend au garde le chiffon souillé. Grumeau recule d'un pas, la mine outrée, et relâche Lise en rotant.

« Ah, les bonnes femmes ! Sales ! Dégoûtantes ! Ça nous excite toute la journée et ça veut nous contaminer ! Tu veux que j'attrape la juiverie, hein, c'est ça ? »

Et, tandis qu'il lève la main, s'apprêtant à l'abattre sur le visage de la malpropre, une autre voix se fait entendre :

« Moi j'y vais. Donnez-moi à manger, et j'y vais. »

Une jeune femme au carré brun, qu'elles n'avaient pas encore remarquée, s'avance de quelques pas. Grumeau est satisfait de son lot de consolation. « Merci », lui glisse Lise à son passage. L'autre acquiesce sans mot dire.

« Elle nous a sauvées, dit Eva dans un souffle.

— Mais, mes pauvres petites, que vous êtes cruches, c'est une pute ! la détrompe Suzanne.

— Alors, c'est ça, la plus jolie ? Sans rire ? Ce pauvre type n'a vraiment aucun goût ! » conclut Dita Parlo, qui s'est faite particulièrement discrète.

Coucher pour manger. Une des règles illicites du camp que font régner de petits chefs à la recherche de grands plaisirs.

« Demain, j'irai me plaindre au commandant, assure Eva à Lise, qui respire à peine. Cela n'arrivera plus. »

On fait, la nuit, des promesses dictées par un intrépide espoir, que le jour a tôt fait de nous enlever.

*
* *

Le soir m'a recouverte
Aussi tendre que la soie, aussi pesant que
*   l'affliction.*

Je ne sais plus comment fait l'amour
Je ne sais plus l'ardeur des champs
Et tout va s'envoler
Pour ne me laisser que la tranquillité.

Je pense à lui, je l'aime bien,
Mais comme d'un pays lointain
Appeler, demander, non merci
Sachant tout juste ce qui me tient sous le
*   charme.*

Le soir m'a recouverte,
Aussi tendre que la soie, aussi pesant que
*   l'affliction.*

Hannah Arendt

6

Au commencement de l'homme est le désir. Il nous fait croire mille chimères, nous dispose à la détresse comme à toutes les audaces. Il transforme les opprimés en insoumis, et les femmes, parfois, en internées, filles-mères ou putains.

Avant Louis, Eva avait déjà désiré. Elle était encore au lycée quand elle avait rencontré Aleksandr Alekserov, de deux ans son aîné, qui vivait alors à Munich dans un foyer de juifs russes immigrés. Il avait l'allure élégante de l'inconnu. Un costume de tweed bien taillé sur une chemise au col parfaitement amidonné, un accent qui donnait à tout ce qu'il disait une apparence de vérité. Si l'allemand était pour lui une langue étrangère, il en imposait grâce à son talent d'orateur. Aleksandr organisait des réunions où l'on discutait avec passion et enthousiasme de la Palestine. Au milieu de ses frères, il parlait de la Méditerranée au nord et de ses rivages sucrés, de la mer Rouge au sud et de ses rives. Aucun, parmi ces Ashkénazes d'Europe, n'a jamais vu une de ces deux mers, mais tous étaient comme aimantés par la terre qui se trouvait au milieu.

Il se saisissait de la *domra*, luth à trois cordes au dos arrondi, et jouait des airs qui venaient d'un ailleurs où tout était plus intense. Eva se faisait toute petite dans son cercle. Aleksandr aimait la lamentation des cordes, elle préférait la grâce nostalgique de Chopin ; le pianiste fuyant la foule, muet devant les regards étrangers et leur préférant les salons privés et les amours calfeutrées. Dans ses nocturnes, auprès de la timidité d'une âme qui refuse de participer à l'orchestre de son temps, elle se sent à sa place. À imagination romantique, Eva sait dissoudre le chaos du monde dans sa mélodie intérieure.

Nommer un sentiment, c'est supprimer une part de la jouissance de le deviner peu à peu. Le suggérer seulement, l'interpréter, voilà le rêve. Ils s'étaient tous deux laissés aller au songe, un après-midi, après les cours, dans le lit de fer aux ressorts inconfortables à peine amortis par une simple couverture à carreaux gris et rouges. C'était l'hiver, il faisait déjà nuit, le cou d'Aleksandr brillait au-dessus d'elle à la lueur de la bougie. Il était le premier et avait eu la retenue de ne pas en parler. Quand ils étaient sortis de la chambre pour rejoindre la salle commune du foyer, un des oncles leur avait offert une cigarette et du café. Le soir, chez les Alekserov, en mangeant la soupe de betterave à la viande qu'on lui avait servie, elle s'était sentie différente. Les beaux songes de l'adolescence et les arpèges de Chopin s'étaient déjà dissipés. Elle n'était pas une immigrée. La Palestine n'était pas sa terre promise. Elle n'était qu'une enfant invitée dans cette culture dont jamais elle ne ferait partie. Et les adultes présents à la table le savaient.

Elle ne l'avait plus revu après la fin de l'année scolaire. Mais elle avait conservé en elle quelque chose de lui. Deux ou trois cycles s'étaient passés avant qu'elle ne comprenne son état. Elle était alors allée seule à Berlin, où le Dr Ernst Gräfenberg travaillait à l'élaboration du premier dispositif de contraception, un anneau féminin à base d'argent. Juif et progressiste, ce Gräfenberg qui avait mis son inventivité à donner aux femmes le choix d'enfanter ou non pourrait forcément l'aider. À vingt ans, elle dont les besoins n'ont pas été comblés, comment pourrait-elle être mère ? Si elle n'est plus la petite poupée de son père, que sera-t-elle, une femme ? C'était trop tôt, elle n'était pas préparée à cela. Le cabinet situé dans la Kurfürstendamm, l'une des avenues les plus réputées de la ville, était plein ce jour-là. On y faisait la queue jusque dans la rue. Nombre d'épouses tout à fait respectables, dont les maris étaient membres du parti nazi, s'y trouvaient, bien que ce que l'on y pratique soit réprouvé par la morale qu'ils prônent. Ernst Gräfenberg lui avait alors tendu un mouchoir en lui expliquant que c'était trop tard.

Son ventre s'était arrondi, personne autour d'elle ne s'était réjoui. Elle avait déçu. Son père, parce qu'elle avait fauté, sa mère, parce qu'elle avait grossi. Il faut être deux pour désirer, hélas la femme porte parfois seule la honte de ses ébats. Ils l'avaient tenue recluse, loin de la curiosité et des regards étrangers.

Un jour, du sang avait coulé le long de sa jambe. On l'avait emmenée. Elle s'était réveillée, seule, dans une salle froide. Le lit métallique ressemblait à celui d'Aleksandr. Sur les murs nus, un crucifix en bois avec des clous épais et noirs traversant les mains et les pieds barbouillés de cire rouge. Elle avait soulevé le drap et avait vu l'immense cicatrice qui lui barrait le ventre, comme une trace faite aux barbelés. Son père était venu la chercher. On n'en avait plus jamais parlé, il l'avait interdit. Elle n'avait jamais su ce qu'on lui avait enlevé.

Des années après, malgré l'exil, les nuits passées auprès de Louis, dans son ventre de trente-six ans, rien n'avait poussé.

Fuir les exactions avec trois sous en poche ou aller en France pour la réputation de liberté et de respect de la dignité humaine. Travailler d'arrache-pied pour une chiche pitance, ou gagner la Palestine par pur idéalisme. Voilà les deux voies d'une jeunesse qui refuse de se laisser cracher à la figure par le nouveau régime allemand. Les pères ne comprenaient pas. Laissons-le faire ses preuves, se rassuraient-ils au sujet de Hitler, que peut-il faire ? Le pire n'arrive pas toujours !

6 juin 1940

Mon cher Louis,

Le cœur lourd, je vais sur mon sac de paille. Le ciel embrassait ce soir une lune parfaitement ronde suivie de milliers d'étoiles, autant qu'il y a de femmes ici. Je ferme les yeux chaque soir, espérant que demain sera meilleur, mais demain viendra-t-il un jour ? Combien d'efforts chaque matin pour s'arracher au sol où les racines enlacent nos chevilles ? Les couperons-nous enfin, pour danser comme nous l'avons fait lors de notre première nuit ? Il n'y avait dans le ciel que deux étoiles, les plus brillantes, c'étaient nous.

Dire que je continue à vivre en dépit de tout ce qui m'assaille ! On dit ici que la prise de Paris est une question d'heures, que les troupes allemandes sont près de Troyes, que les trains de réfugiés sont bombardés, et tu es peut-être dans l'un d'eux. Mon cœur devrait s'arrêter de battre, pourtant je le sens encore s'accrocher et taper du poing dans ma poitrine. Je suis triste et je souffre, Louis, mais plus que tout je suis en colère. Alors qu'une destruction effroyable est imminente, on nous a jetés par-dessus bord. Sur une île, où nous n'avons rien d'autre à faire que nous laisser hâler. Je voudrais combattre à tes côtés. Si Paris tombe, est-ce la fin ? Mon Louis, te souviens-tu encore de moi ? La pauvre femme qui n'a rien pu te donner d'autre qu'elle-même.

Ton Eva.

Rien de plus précieux en ce monde que le sentiment d'exister pour quelqu'un. Lui, elle, que l'on emmène partout en soi-même quand il n'est plus nulle part.

Les journées d'été donneraient presque un air de fête au camp. Les mouches prenant d'assaut l'intérieur des baraques, les femmes passent leur temps dehors en soutien-gorge, allongées au soleil dans l'herbe fraîchement repoussée que le commandant n'a pas eu le cœur de recouper sous leurs pieds. On joue, on se cache, on s'arrose, on discute des hommes qui nous manquent et de ceux qu'on aimerait rencontrer, on se choisit une meilleure amie dont on devient inséparable et pour laquelle on finit par garder espoir. Les gardes font leur ronde autour des barbelés en plaisantant. La plupart ont été mobilisés et viennent de tout le pays. Eux aussi ont dû laisser quelqu'un derrière eux.

Lise ne révèle au soleil aucune dentelle, elle garde chaque jour une longue chemise blanche qui lui arrive jusqu'aux genoux et dont le col ferme juste au bas de son cou. Eva réussit à la persuader d'en couper les manches. S'ensuit une âpre négociation autour de la longueur de celles-ci. Lise veut les couper au niveau du coude, tandis qu'Eva veut y aller franchement jusqu'à l'épaule. Lise se retrouve finalement un bras entièrement dénudé, l'autre à moitié découvert.

La ligne dentelée des Pyrénées, écrasante les premiers jours, semble à présent une armée de pics érigée là pour les défendre et les protéger.

« Tu te demandes parfois ce qu'il y a derrière ? demande Lise.

— La même chose qu'ici, peut-être. Un autre camp, d'autres femmes.

— Peut-être qu'il n'y a rien.

— Tu penses que tout a été détruit ?

— Non, je veux dire, peut-être n'y a-t-il plus rien après ces sommets. Nous sommes arrivées au bout du monde. Derrière il n'y aurait qu'un gouffre dans lequel on manquerait de tomber si on s'en approchait.

— Alors, heureusement qu'on est enfermées ici, comme cela aucune de nous n'ira s'y pencher. C'est drôle, les barbelés en deviennent presque rassurants. L'esprit humain a ceci de formidable que le plus petit endroit devient une immensité pour celui qui l'habite. »

Secouée d'un tremblement, Eva délaisse les rêveries philosophiques de Lise et mêle des larmes à ses paroles.

« Il pensait que moi au moins je serais restée à la maison, en sécurité. Et maintenant, tous les deux, nous sommes au loin, il ne saura jamais où je suis, et je ne peux même pas l'écrire aux voisins parce qu'il est interdit d'adresser du courrier dans mon quartier pour une durée indéterminée. Aucune lettre n'arrive. Comment faire pour nous retrouver ? Te rends-tu compte ?

— Mais de qui parles-tu ?

— De mon fiancé, Louis.

— Toi, au moins, tu as quelqu'un à qui penser. Tu n'es pas aussi seule que moi.

— Mais je suis plus âgée. Lorsque je sortirai, il sera sûrement trop tard pour lui donner des enfants, il ne voudra plus m'épouser.

— Et moi donc ! Dans ma communauté je ne suis déjà plus bonne à marier. »

C'est la première fois qu'elle confie l'angoisse qui les taraudait toutes deux, l'âge, le temps compté et celui, encore inconnu, qu'on leur volerait. Lise paraît aux autres toujours renfermée, taciturne. On commence à l'appeler « la pucelle muette » parmi les internées, tant elle parle peu. Elle semble vivre en deçà du commerce des sens, se soustrait à ceux qui pourraient l'atteindre.

Cette avalanche de paroles déclenche en elle un souvenir longtemps enfoui. Elle avait fait un premier semestre à l'université Humboldt de Berlin en 1928. Elle avait alors dix-huit ans, et elle pensait être née au moment le plus merveilleux de l'histoire de l'Allemagne. Une femme, la physicienne juive Lise Meitner, dont elle partageait le prénom, avait été peu de temps auparavant nommée directrice du département de physique, une première pour une femme et un fait inaugural dans toute la Prusse. Lise s'était inscrite en histoire. Elle deviendrait journaliste, rien ne pourrait l'en empêcher, puisque les femmes pouvaient à présent être physiciennes, professeurs, qu'importe ! Un de ses enseignants avait remarqué sa soif d'apprendre. Lise n'était pas au niveau des autres élèves. D'extraction modeste, elle n'avait pas reçu une éducation supérieure très poussée. Elle savait correctement lire, écrire, c'était bien plus que sa mère. L'enseignant, d'origine italienne, lui avait proposé son aide : chaque mardi soir après la classe, il lui donnerait gracieusement des cours privés. Lise était studieuse et crédule. Elle avait l'esprit vif mais si curieux que de l'histoire de France elle déviait sur la Grèce, passait par l'Empire romain, puis arrivait sur la Perse, si bien qu'elle n'y comprenait plus rien. Il lui fallait du temps pour maîtriser ses leçons, ils finissaient tard chaque fois, ils avaient faim. Il n'habitait pas loin de là, au cinquième étage d'un vieil immeuble. L'intérieur n'était pas coquet, tout semblait prêt à s'écrouler. Des livres partout, peu de lumière, mais de petites plantes aromatiques aux fenêtres, basilic, origan et thym, parfumaient l'ensemble de l'appartement quand il ouvrait les fenêtres. C'était le mois de mai, les examens approchaient. Elle portait une robe ceinturée à la taille. Elle avait ce soir-là relevé un côté de ses cheveux, crochetés dans un bigoudi, comme les filles à la mode le faisaient, sans savoir vraiment pourquoi. La leçon achevée, elle s'approcha de la porte, mais lui l'avait fermée. Il lui saisit le bras avec rudesse. Elle voulait partir, mais son corps était tétanisé. Il lui dit que c'était normal d'avoir peur la première fois. Il écarta les cheveux de son cou et y approcha ses lèvres. Lise mordit son oreille de toutes ses forces, jusqu'à ce que sa chair cède sous les dents. Il la repoussa violemment, cette hystérique qui ne savait pas ce qu'elle voulait ! Elle dévala les escaliers en toute hâte. Lise avait quitté l'université. Sa mère n'avait pas compris, elle avait cousu et repiqué à s'en faire saigner les doigts, pour payer son année. Sa fille avait vieilli, mais s'était méfiée de la féminité comme de la marque d'une faiblesse qui l'avait exposée à la morsure du loup.

Dors, mon enfant, dors,
Dors, mon enfant, dors.
Là-bas dans la ferme
Il y a un mouton blanc
Il veut mordre mon enfant.
Le berger arrive avec son violon
Il rassemble les moutons.

7

« Mais quelle horreur, mon Dieu !

— Quoi, c'est la première fois que tu t're-luques le berlingot ? »

Lise, devant les baquets de la toilette matinale, regarde par l'ouverture du col de sa chemise, en direction de son bas-ventre, révulsée.

« La sale bête !

— C'est peut-être pas très beau, mais ça mord pas !

— Bien sûr que si ! Si je la touche, elle va me piquer !

— T'as le bonbon qui picore ?

— Elle a bougé, elle a bougé !

— Tant mieux, c'est qu'elle est encore vivante !

— Écrase-la, écrase-la ! crie-t-elle à Suzanne, paralysée.

— Je préfère pas, c'est pas la saison, se dédouane Suzanne.

— La punaise ! » lâche enfin Lise, relevant sa blouse jusque sa taille, en détournant le visage avec force grimaces.

Ovale, sombre, aux longues antennes, la punaise traîne lentement sur son ventre jusqu'à la naissance de sa cuisse. Suzanne attrape son sabot et l'écrase d'un geste énergique.

« Faudrait juste savoir si elle montait ou si elle descendait… c'est pas du tout le même chemin. » L'image d'une colonie de punaises nichant en son intimité finit de décontenancer Lise : « *Gai kaken oifen yam !* »

« Cela veut dire quoi ?

— Va chier dans la mer », dit-elle d'une voix qui traduit son dégoût. C'est pour la plupart des femmes la première fois qu'elles entendent le son de sa voix. L'expression provoque un grand éclat de rire. Les poux, elle n'avait rien dit. C'est ici un passage obligatoire. La gale, elle n'avait rien dit. Sentir son corps démanger, c'était la preuve que l'on vivait. Et au rythme où elle maigrissait il n'y aurait bientôt plus qu'une maigre surface de peau à gratter.

« Vous riez, tandis que nous méritons mieux que cela !

— Et à qui tu vas te plaindre ? dit Suzanne. Tu vas remplir le carnet de doléances des femmes insatisfaites ? Fais la queue, y a déjà du monde. Si tu veux te plaindre auprès de Grumeau, tu connais le prix. »

Il faut payer une prostituée de la baraque, cinq francs, pour que cette dernière aille distraire le garde en charge de l'îlot, qui daigne alors prêter l'oreille à quelques requêtes. Mais comme on manque de tout, l'argent file et la prostituée n'œuvre pas à l'œil.

« Au commandant », pose-t-elle avec détermination.

Lise ramasse le corps aplati de l'insecte parasite, défait le foulard bordeaux dans lequel elle a noué ses cheveux, y place la dépouille et marche droit vers la baraque administrative, située à l'autre bout du camp. Il lui faut pour cela longer la route goudronnée et passer devant chaque îlot. Sa démarche affirmée fait balancer ses longs cheveux le long de son cou de cygne jusqu'à ses reins. Ses souliers vernis, qu'elle avait gardés depuis le Vélodrome d'Hiver, sont dessemelés du côté droit, dévoilant ses orteils dans un bruit de cuir mouillé à chaque pas. C'est la première fois qu'une femme traverse ainsi, seule, les rangées de barbelés. Les hommes sur son passage laissent là leurs ouvrages. Ceux qui réparent la clôture posent leurs outils, ceux qui chargent le petit train de merde laissent là les tonneaux à déféquer, ceux qui sont allés chercher le ravitaillement pour les prisonniers abandonnent le camion. Tous commencent à la suivre.

Le commandant Davergne entend une véritable escouade marcher vers son office. Il se place sur le perron de sa cabane et aperçoit une jeune femme aux cheveux en bataille et aux jambes nues suivie par un régiment d'Espagnols, des pâles, des maigres, des grands, des cagneux, pieds nus et le torse bombé. Sans mot dire, Lise déplie le foulard, et, la main tremblante mais décidée, lui met la punaise sous le nez.

« J'ai trouvé ceci dans mon intimité ! Vous entendez ! Ce n'est pas assez de nous affamer, vous devez aussi nous humilier ? »

Davergne rajuste ses lunettes sur le bout de son nez.

« Chère Madame, si vous n'aimez pas les punaises françaises, je vous suggère d'essayer celles des camps de concentration allemands. »

Homme sensible aux revendications et au bien-être des femmes placées sous sa responsabilité, Davergne ne peut toutefois fléchir face à ses prisonniers espagnols.

« Des volontaires ? » renchérit-il en levant la voix.

On commençait en effet, ici comme ailleurs, à parler de camps à l'Est, où Hitler concentrerait les antinazis, les juifs, les politisés, les Tziganes, les apatrides, les homosexuels, les asociaux, tous ceux qui refusent de s'intégrer dans la communauté ; les individus jugés dangereux, en somme, sans procès.

Un tumulte commence à gronder parmi les Espagnols, l'un d'eux fait un pas en avant, au niveau de Lise.

« Alors, mon commandant, nous ne reprendrons pas le travail. »

Lise fixe le profil fébrile et bouillonnant de celui qui prend sa défense. Il n'est pas beaucoup plus grand qu'elle, le nez busqué, bourbonien, le teint mat, plus foncé sur les pommettes, les cheveux gris, abondants, presque bouclés qui avancent sur ses tempes, guidant le regard vers sa bouche, charnue et carmin. Ses lèvres sont généreuses et hardies, insufflent la vie à chaque mot.

« Il n'y aura pas un seul homme pour lever le petit doigt. En luttant par les armes aux côtés du peuple espagnol, nous avons défendu les intérêts pacifiques de votre pays. Nous avons construit ce camp, nous l'entretenons, et vous le dirigez parce que nous le voulons bien et que nous comprenons les enjeux de la guerre. Mais il est intolérable que les femmes qui sont ici aient à subir la saleté des hommes. Donnez-nous accès à leurs îlots pour les nettoyer, ou plus rien ici ne fonctionnera. »

Lorsque la bouche finit de parler, Lise la voit se tourner vers elle. Juste au-dessus du nez comme un promontoire, deux yeux bleus, de ceux qui vous éclairent lorsqu'ils se posent sur vous, la regardent. Le contraste du blanc nacré dans lequel flottent ses prunelles les rend magnétiques. Tout en sa physionomie inspire la bonté. L'homme lui prend la main et la baise.

« Ernesto. *Mucho gusto* », souffle la bouche sur sa main pétrifiée.

Davergne donne des petits coups nerveux sur ses bottes avec sa badine d'officier, toujours plus vite. Les paroles d'Ernesto Ibañez résonnent comme une rébellion. Il se tourne vers les Espagnols, afin de savoir si Ernesto parle au nom de tous. Aucun ne flanche.

« Bien. Nous sommes plus forts. Nous allons vous mettre au pas ! »

Davergne fait signe aux gendarmes d'encercler la cinquantaine d'Espagnols. Alors qu'ils les tiennent en joue, immobiles, le commandant appelle un des gendarmes et lui murmure quelques mots à l'oreille. Un des hommes se saisit d'Ernesto, tandis que l'un d'eux revient avec dans ses mains une tondeuse mécanique en métal. On lui penche la tête en avant, l'obligeant à s'incliner en tordant son épaule, et, devant la baraque du commandant, on lui rase la tête. Il ne se débat pas, mais ses poings sont serrés à éclater.

« Voilà qui vous rendra moins sujet aux punaises, monsieur Ibañez. Pour m'assurer qu'elles ne vous contaminent pas, je vous assigne une baraque personnelle, lui assène Davergne. Vous ne pourrez pas dire que l'État français n'a pas à cœur de bien traiter ses prisonniers. » Puis, en direction des gendarmes : « Emmenez-le à l'îlot des représailles. »

Une simple baraque privée de lumière, dressée au milieu d'un réseau de barbelés plus dense qu'ailleurs, impossible à franchir. À l'intérieur, sur des planches, deux couvertures. Les hommes l'appellent « le quadrilatère qui rend fou ». Toute tentative d'évasion ou visite dans l'îlot des femmes est punie par un séjour dans l'îlot des représailles. On y est envoyé pour une semaine ou pour deux, sans aucun contact avec l'extérieur, sans savoir si le jour succède à la nuit ni la nuit au jour.

Le groupe suit Ernesto comme un cortège silencieux. Lise traverse le camp à nouveau, la tête pleine de ses mots, ses yeux, sa bouche. La paillasse sur laquelle elle dort depuis près d'un mois, si rêche jusqu'alors, représente une enveloppe protectrice contre l'âpreté du monde. Elle y replace le mot qu'il avait écrit, c'était lui sans aucun doute, elle en était sûre. Elle l'avait niché dans sa valise, sous une photo de sa mère, bien qu'elle se soit défendue de l'avoir gardée. Désormais, Ernesto veillerait sur son sommeil, elle était protégée par un homme prêt à défier l'autorité pour qu'on la traite dignement.

Sitôt les hommes reconduits dans leurs îlots, tous se donnent le mot. Les anciens miliciens décident en solidarité de se raser la tête, eux aussi. Mais avec deux tondeuses à cheveux trouvées au marché noir, l'organisation se révèle compliquée. On sort alors les rasoirs dont on partage les lames, les ciseaux, tout ce qui peut couper. On y laisse un bout de scalp ou d'oreille pour certains. Beaucoup hésitent, gardent un reste de coquetterie. Mais sous les encouragements des autres brigadistes, qui les assurent que les *rubias* trouveraient cela plus viril, ils finissent par céder. Lors de la tournée du soir, le commandant Davergne parcourt l'allée centrale du camp avant l'extinction des feux, dans sa Citroën roulant au pas, et passe devant quatre mille têtes rasées au poing fièrement levé. Lorsqu'il descend de la voiture, le visage cramoisi, les hommes entonnent une *Marseillaise* assez forte pour que leurs voix parviennent jusqu'à Ernesto et l'empêchent de sombrer dans l'obscurité de la baraque des représailles. Davergne tourne les talons, remonte dans l'auto et fonce comme un éclair vers son bureau.

*
* *

Les pieds hésitant dans un éclat pathétique.
Moi-même
Moi aussi je danse,
Libérée de la pesanteur

Dans le noir, dans le vide.
Les havres tourmentés d'époques évolues
De vastes étendues parcourues
Des solitudes perdues
Se mettent à entrer dans la danse.

Moi-même aussi je danse.
À l'aune de l'ironie
Je n'ai rien oublié.

Je connais la vacuité
Je connais la pesanteur
Je danse, éperdument
Dans un éclat ironique.

Hannah Arendt

8

La porte de la baraque 25 s'ouvre lentement un matin de la mi-juin, avec une délicatesse qu'on ne lui connaissait pas encore.
Le bruit saisit ses occupantes. Une tête passe
dans l'embrasure séparant le jour brillant de la
pénombre. Une silhouette pénètre maladroitement dans la pièce, une boîte à outils sous le
bras. Un homme dans l'îlot des femmes, quel
événement ! L'ombre se redresse et fait place
à un jeune homme vigoureux, élancé, qui sourit timidement de trente dents étincelantes, en
signe de paix. Il a perdu les deux autres lors
d'un atterrissage forcé. Elles s'étaient encastrées
dans le manche sitôt que les roues de l'engin
avaient touché la terre dans un fracas de pétrole
et de carrosserie. Mais la douleur causée par
la balle que les hommes de Franco lui avaient
tirée en pleine jambe l'avait anesthésié, il n'avait
rien senti. Suzanne est encore allongée, elle
attend comme nombre d'autres internées on ne
sait trop quoi, elle attend pour ne pas se déses-
pérer, pour croire qu'elle a un but, que celui
pour lequel elle se trouve là viendra la sauver ;

Suzanne attend comme une femme amoureuse peut attendre. Elle se redresse sur sa paillasse, secoue la manche de Lise. C'est lui, c'est Pedro ! Elle se lève, passe sa main dans ses cheveux roux, avance vers lui et lui sourit à son tour. L'ancien pilote ne semble pas la reconnaître.

« C'est moi, Suzanne, la fille de la gare d'Oloron… Avec les bigoudis.

— Il ne parle pas français, ni allemand, répond une seconde voix masculine, derrière lui. Un marteau dans une main et une scie dans l'autre, Ernesto n'a plus sa belle chevelure gris argenté, mais ses yeux bleus donnent une clarté nouvelle à la pièce.

— Suzanne… répète-t-elle en prenant un accent espagnol, *con los bigoudis* ? » lui dit-elle, mimant le geste qu'elle effectue chaque matin pour enrouler ses cheveux, debout, face à lui, au milieu de la baraque.

L'Espagnol range ses dents une à une, il fait un pas en arrière.

« *Bigoudas ?* » essaie-t-elle encore. Plongeant la main dans sa valise, elle trouve enfin une papillote métallique et l'enroule autour d'une mèche de cheveux qui recouvre ses yeux.

Pedro semble soudain s'éveiller, il fouille à l'intérieur de sa veste militaire espagnole au coude décousu et sort l'emballage du chocolat Lombart qu'elle lui a tendu trois mois plus tôt. Il déplie le papier froissé sur lequel deux jeunes écoliers en culottes courtes, le dos tourné, regardent vers un avenir radieux. Pedro lui donne le papier comme un parchemin sur lequel des lettres codées garderaient intacts les vestiges d'un temps passé.

« *Bigoudas !* » lui lance-t-il, pensant sans doute que c'est là son nom, les yeux noir de jais rendus plus brillants encore par les larmes qui jaillissent. Suzanne, la Béarnaise catherinette qui a vu les filles du village se marier les unes après les autres tandis qu'elle s'occupait de la ferme familiale, celle que l'on amenait au bal mais qu'on ramenait sans avoir voulu l'embrasser et qui se consolait en boulottant des tartes aux pommes auxquelles personne n'avait voulu toucher s'élance vers lui et, avidement, colle sa bouche à ses fines lèvres semblant vouloir l'avaler tout entier. Elle couvre sa figure de baisers, il a le goût d'un verger merveilleux.

Ernesto a déjà commencé à reboucher les trous. Les deux hommes sont envoyés par Davergne, qui, s'il a réprimé la rébellion avec fermeté, n'en a pas moins été sensible à la colère de Lise. Cloutant, tapant, sciant, les Espagnols réparent le toit qui fuit et les planchers qui grincent, installent des étagères afin que les prisonnières puissent accrocher aux murs leurs affaires les plus fragiles, du moins celles qu'elles espèrent soustraire aux rats trompettes. La baraque est soudain prise d'une euphorie légère, presque insouciante. On sert aux hommes une bouillie à base de chicorée que l'on appelle café, on leur roule des cigarettes, on s'active à tout-va. « Camarades, pas d'argent, pas de cadeaux, je suis ici pour vous aider », les arrête Ernesto, dont l'œil ne peut se détacher de Lise.

Il s'agenouille à ses pieds et sort de la boîte à outils des clous plus petits, de la taille d'un ongle. Sans dire un mot, il remonte sa longue jupe et dévoile sa cheville, saisit son talon et enlève son mocassin éventré. Avec minutie, il remet bord à bord les pièces du cuir verni, cicatrisant le cuir détendu par la boue. Tenant le pied de Lise entre ses deux genoux, il le nettoie de ses mains, le frotte, l'essuie, le caresse, adoucit la peau qui a durci, puis y place le soulier réparé avec délicatesse. Lise le fixe de ses grands yeux bleus, et serre au col sa chemise noire de sa main autrefois fine, osseuse à présent. Elle est si menue qu'on pourrait la croire girouette, un filet d'air suffit à la renverser. Lise n'a jamais réussi à se sentir désirable, et pensait ne pas être une vraie femme. La seule fois où un homme l'a touchée, la main a entamé sa chair si profondément qu'elle est depuis insensible, comme endormie. Qu'ils soient gentils, serviables ou élégants, aucune envie ne l'animait.

Elle s'était fait une raison de cette répugnance qui lui faisait refuser tous les bras qui se présentaient à elle, en embrassant la tradition dans laquelle elle avait été élevée. Elle ne connaîtrait que celui destiné à être son époux. Mais à trente ans, elle ne trouvait plus de prétendant juif qui ferait un bon mari, et la méfiance de l'étranger l'empêchait de se donner à un Français sans trahir une partie de ce qu'elle était.

Les mains d'Ernesto, sur sa cheville, sont différentes. Elles sont chaudes, présentes, sans être possessives. Bien que cet homme n'ait pas vu de femmes depuis des mois, ses gestes ne sont en rien déplacés. Au creux de ces mains sereines, elle se sent en sécurité.

« Vous ressemblez à un tableau de Modigliani, dit-il de sa voix de basse à l'accent rauque. »

Cela ne sonne pas comme une simple observation, mais comme une révélation.

« Quel tableau ? s'inquiète-t-elle, s'imaginant l'attrait des artistes pour les modèles nus et de petite vertu.

— *La Femme aux yeux bleus.* »

Cela ne lui dit pas grand-chose, aussi le fixe-t-elle sans expression.

« Elle a le visage triste et allongé, avec une grâce nostalgique, mais sourit dès qu'on la regarde avec désir. »

Ernesto a passé la dernière décennie à Paris à vendre ses toiles sur la butte Montmartre. Il vivait dans un petit hôtel à côté du Bateau-Lavoir, où il louait une chambre dans laquelle il pouvait cuisiner la journée et peindre la nuit. Il récupérait les draps usés de l'établissement, les clouait sur des châssis en bois qu'il fabriquait, laissait aller son pinceau. Les teintes étaient rouges, brunes, sombres, les visages suppliciés, il y avait du chaos dans ses mains. C'était sa manière à lui de résister, faire du beau avec le laid. Puis il allait manger des œufs durs avec les quelques sous qu'il avait gagnés, au Bal Tabarin, 36, rue Victor-Massé, cabaret Art déco plein à craquer chaque soir, où des entraîneuses enivrent leurs soupirants prêts à rendre leur dernier souffle devant les poitrines nues des danseuses qui pivotent autour d'un tourniquet. Celui-ci formait une sorte d'arbre humain fantastique entouré d'oiseaux de nuit tourbillonnants. On organise des concours : le plus beau postérieur, la plus belle poitrine, les plus beaux mollets, la plus belle bouche ; de nouvelles danses y sont expérimentées : la croupionnette, dans laquelle les couples, l'un devant l'autre, lancent un coup de fesses en arrière vers le cavalier, un coup de bassin en avant vers la cavalière… La tabarinette est réservée aux femmes qui s'enlacent sur la piste dans des mimes lesbiens sous le regard brillant des messieurs. Ernesto les regardait s'empiffrer de volailles tandis qu'il les soulageait de quelques billets en peignant leurs danseuses préférées.

Une étincelle part à présent du pied de Lise, un courant lui monte au cœur comme la foudre, en même temps qu'au-dehors le tonnerre gronde. Les premiers orages d'été éclatent sur les Pyrénées. Les femmes questionnent Pedro, que Suzanne a fini par lâcher. Elles brûlent d'avoir des nouvelles du monde extérieur. Que se passe-t-il ? Le Reich, ce grand corps mû par un fanatisme à l'obéissance aveugle, écrasera-t-il de son pas la liberté de chaque homme ?

« *Se prepara el armisticio* », répond Pedro.

Mais aucune ne le comprend.

« *Armisticio ?* » l'interroge Suzanne, en le pointant du doigt.

Elle ne connaît pas son nom et pense que c'est ainsi qu'il s'appelle.

« *Si, armisticio*, répond Pedro.

— *Amisticio !* Viens là, gamin ! » répète Suzanne en se collant à nouveau à sa bouche, décidée à ne plus laisser l'Espagnol respirer un autre air que le sien.

Soudain, l'histoire du monde ne semble plus si horrible.

Seule Hannah Arendt a conscience de ce qui se trame, il y a dans chacun de ses mots comme une urgence anxieuse et dramatique. Elle ne cesse de se demander combien de temps va s'écouler avant que les hommes de Hitler ne mettent la main sur elles. Un suicide collectif serait une protestation qui marquerait les esprits et lui couperait l'herbe sous le pied. Si on lui enlève le plaisir de tuer, le bourreau mettra-t-il toujours autant de cœur à l'ouvrage ? Se laisser vivre ou décider de mourir. Elle a fini par choisir une troisième voie, plus que jamais prendre soin de soi. La tentation est grande de s'asseoir, baisser les bras et s'apitoyer sur son sort, ne plus rien désirer, mourir à l'intérieur. Le crépuscule n'atteint que ceux qui s'inclinent sans faire de bruit. Rien ne viendra les sauver, sinon le désir de vie. Ne pas céder à la laideur qui les entoure, désirer sans mesure, sans finalité. Elle sermonne ses voisines de baraque. Il en va de leur survie de soigner leur apparence du mieux qu'elles peuvent. Avoir de l'allure au milieu du rien, l'audace d'être belle quand on veut vous supprimer. Autour d'elle, l'idée fait des émules.

« Se faire belle, excellente idée, lance Dita. Aucune ne voudrait être vue dans un tel état lorsque les SS arriveront. Ils nous laisseraient croupir pour moins que ça ! »

La belle comédienne rencontre quelques problèmes avec ses cheveux platine qui montrent aux racines leur vraie couleur : un châtain foncé.

« Moi, je fais les cheveux », lance Johanna, une Hongroise naturellement cendrée.

Les mains sont si nombreuses à se lever que la voilà terrifiée à l'idée de ne pouvoir satisfaire la demande. La paillasse du fond, occupée par la putain de Grumeau, souvent vide, est réquisitionnée. Il faut du matériel. On se procure auprès de gardiens compatissants de l'eau oxygénée en prétextant des blessures légères à désinfecter. Suzanne met à la disposition de la communauté sa cargaison de bigoudis, et obtient de Pedro qu'il coupe de petits bouts de barbelés tordus en épingle pour soutenir les chignons. On tend un drap autour de cordes que les Espagnols providentiels ont installées pour le linge et le salon de coiffure de Mlle Johanna peut ouvrir. Pour elle qui a toujours rêvé de coiffer en France, ce n'est pas Paris, mais c'est son salon, elle en ressent une incommensurable fierté.

Dans la pénombre, au milieu de petits tas de boue séchée par terre, assises par deux ou trois sur les paillasses dont jaillit un nuage de poussière permanent, on se répartit les tâches. Mathilde Geneviève, de coupeuse de pain est mutée à une fonction bien plus importante, la manucure. Aucune ne possède de miroir assez grand, chacune trouve alors son binôme, qui sera sa main et ses yeux et la maquillera. On lui confie ce que l'on a de plus précieux, la courbe de ses sourcils à dessiner. Lise sort de sa valise les ciseaux dans leur étui de cuir rouge. Les commandes pleuvent plus vite qu'elle ne peut coudre. On raccourcit les jupes, on resserre les tailles, on rapièce surtout les soutiens-gorge.

La baraque est à pied d'œuvre. Celles qui n'ont aucun matériel pour exercer se mettent à tirer les cartes pour prédire l'avenir. Quel succès ! Une fois manucurée et coiffée, on fait la queue pour s'entendre dire que l'amour viendra, qu'on aura de beaux enfants, des filles et des garçons. Chacune se découvre un savoir, un talent, les Aryennes donnent des cours d'allemand, les juives enseignent le yiddish, et l'on s'étonne de se comprendre bientôt à mi-mot dans les deux langues. Celles qui parlent anglais sont les plus demandées, et tiennent leurs classes aux meilleures heures de la journée, l'après-midi, lorsque le soleil est encore haut. On se met en cercle autour de la professeure qui, adossée à la baraque, parle la langue du pays de la renaissance, l'Amérique.

À l'heure du petit train, au lieu de surprendre des femmes en loques à la toilette, les Espagnols de corvée se trouvent face à un défilé de mode le long des rails servant au déchargement, transformés en boulevard pour élégantes qui paradent comme si elles étaient à Biarritz, sur la promenade de l'hôtel du Palais. À travers les barbelés se mènent des entretiens galants. Chacune a *son* Espagnol. Assis de part et d'autre du grillage, ils ne se parlent que peu, ne se comprennent pas, mais la cour est assidue. Des heures durant, les wagons des tinettes restent immobilisés. Des mains tentent de s'effleurer, de se tenir. Les gardes n'y peuvent rien, l'épidémie a touché le camp. Comme des inséparables transis de froid se blottissent sur une branche et semblent à leur aise dans cette étreinte côte à côte sans désirer davantage. Il ne s'agit pas de flirt, mais d'une sorte d'amour courtois où l'intimité se vit au milieu de mille autres âmes, où il suffit d'écouter, acquiescer de la tête, même si on ne comprend rien. Les hommes font montre d'une dévotion totale, d'une fidélité ardente à celle qui est devenue en un jour le centre de leur vie. La moindre séparation leur est insupportable alors qu'ils n'ont pas revu leurs familles depuis longtemps et que jamais ils ne s'en plaignent.

Pedro a volé des planches à l'intendance et fabrique à Suzanne un sommier pour mettre sa paillasse au centre, afin qu'elle ne glisse plus. Un autre réalise un cadre pour que sa douce puisse y accrocher une photo de son passé. Ernesto vient chaque matin apporter à Lise ce qu'il a pu glaner de nourriture, échangeant un bout de pain avec d'autres prisonniers contre des dessins qu'il leur fait. Certains veulent voir à nouveau le visage de celle qu'ils ont laissée, et le lui décrivent selon leur souvenir. Le résultat ne risque pas d'être ressemblant, mais on la représente sans vêtements et dès lors le visage compte moins. D'autres veulent ce qui leur manque le plus, et qu'ils souhaitent voir, un chien, une gare, une bouteille de vin.

De chacune de ses rations Ernesto ne mange que deux tiers, mettant le reste de côté pour l'ajouter à son butin du jour. Il observe alors Lise manger tandis qu'il guette la venue de Grumeau, ses lèvres boire le jus d'une poire trop blette, ses petites dents croquer dans un bout de viande attachée à un os, ses yeux reprendre vie. Ernesto, à force de privation, a perdu quinze kilos depuis son arrivée. Mais, chaque matin, trouver de la nourriture pour Lise le fait se sentir plus vivant que jamais. Une femme compte sur lui. Il ne peut pas se laisser aller à l'épuisement, à l'ennui, au dégoût de la vie. Des trous apparaissent sous le grillage en plusieurs endroits, chaque matin rebouchés, chaque soir miraculeusement réapparus. Ernesto ne franchit pas la barrière de barbelés. Ce qui l'unit à Lise est au-delà de la chair.

À la veille de l'été, le camp prend des airs de colonie de vacances pour exilés de la guerre où l'amour est sur toutes les bouches affamées, dans tous les cœurs meurtris, dans toutes les mains usées, une île à l'ombre des Pyrénées où résonnent des rires, des jeux, des promesses d'un lendemain. Puis le soleil se couche. À l'ouest des auréoles de rose encerclant des nuages hauts, à l'est le bleu clair enveloppant les collines boisées, et au bout des petites maisons blanches que l'on aimerait regagner le soir. Les Allemands sont entrés dans Paris, mais on ne le sait pas.

*
* *

Le 14 juin j'ai pris mon vélo, gamin, gamin
Dans les quartiers d'riches y a pas un chien
Même pas un chat !
À la Bastille ils sont tous là

À r'garder défiler les boches
Les donzelles les rombières les poulbots les
   gavroches

Les vainqueurs remplissent les rues de Paris
Y en a qui crient, d'autres qui sourient

Une grosse femme qui n'arrête pas
Elle jacasse à tout-va :
« Oh qu'y sont beaux ! Et leurs chevaux !
Et ces canons et ces motos ! »

Le rouge aux lèvres, elle n'en finit pas
*   d'applaudir*
Moi j'va lui dire :
« Dis la p'tite mère tiens-toi un peu
Y a des gars qui sont morts et pas qu'un
*   peu. »*

9

« Dis, comment sait-on que l'on aime ? »

Lise tire lentement sur la cigarette puis la tend à Eva. Le foyer rougit à peine, il y a si peu de tabac dans le mégot qu'elles partagent, assises devant la baraque, contemplant les dernières lueurs du jour tombant sur le camp.

« Le fait de poser la question donne déjà une indication, mon amie, sourit Eva, le regard en coin.

— Ne me regarde pas, j'ai l'impression que tu vas me juger. Je veux savoir comment on sait que l'on aime, vraiment.

— Tu n'as jamais…

— Non, jamais. Je voulais que ce soit vrai, que ce soit grand, irremplaçable, alors j'ai préféré attendre plutôt que de brader mon rêve. J'y ai mis tant d'espoir que je ne veux pas me tromper. Et s'il n'était pas celui que je crois ? Si d'un coup il changeait de visage et devenait méchant ? S'il s'emparait de mon cœur et le broyait ? Certains hommes vous ouvrent la porte mais deviennent aussitôt des barbares qui veulent vous garder prisonnière. Si je me donne à lui et qu'il rit de moi... je ne pense pas être capable d'y survivre.

— Je ne peux pas te promettre que cela n'arrivera pas. Cela fait partie des risques que l'on doit accepter si l'on veut aimer. Ici les Espagnols disent « *donde hay amor, hay dolor* » – où il y a de l'amour il y a de la douleur. Mais lorsque j'ai peur, et que l'amour en moi devient chagrin, que mon imagination me torture, je me dis une phrase qui m'apaise : le pire n'est jamais certain.

— As-tu donc regardé autour de nous ? »

L'alignement de baraques et de barbelés dans la semi-obscurité donne au camp un aspect inhumain, rouillé, duquel s'élèvent de petites colonnes de fumée çà et là.

« Oui, ma tête me souffle que nous ne sortirons peut-être pas d'ici, mais mon cœur me dit que tant que j'aime, je suis encore en vie. Laisse de côté les peurs et raconte-moi ce que te dit le tien.

— Que jusqu'à lui je me sentais une femme inutile. Je ne savais pas pourquoi je vivais. Mon cœur ne servait qu'à battre, ma bouche qu'à parler, mon ventre qu'à manger, et je ne savais que faire de mes seins. Chaque chose avait une fonction vitale. J'étais seule en moi-même, personne ne pouvait venir m'y faire du mal, et c'était bien comme ça. Mais maintenant je me sens emmurée dans une prison dont je suis la seule geôlière. Tu comprends ? Maintenant mon corps est fait pour autre chose que vivre, je le sens. Ma bouche veut embrasser, mes seins veulent être touchés, mon cœur veut aimer, mon ventre... Il ne veut plus être vide. Il y a fait un nid. Et je voudrais taper pieds et poings contre les murs de ma prison, mais j'ai peur de me casser. Parce que je suis déjà tombée, et que je me sens fêlée à l'intérieur. »

Lise parle avec une intensité qui étonne Eva de la part de ce petit bout de femme au naturel si calme.

« Tu ne dois pas avoir peur de te tromper. Personne ne te jugera. Tu ne dois pas avoir peur de te casser, tout se répare. Connais-tu l'art que les Japonais appellent *Kintsugi* ? »

Lise hoche les épaules, les larmes coulent le long de son cou.

« J'ai lu dans un livre traitant de l'Orient que mon père avait dans sa bibliothèque qu'au Japon, quand une poterie est cassée, plutôt que de masquer l'endroit où on l'a réparée, on la recolle avec une laque saupoudrée d'or, pour mettre la fêlure en beauté. On appelle cela la jointure de l'or. La poterie porte alors les signes de son histoire. Et plus elle a de fêlures, plus elle est appréciée, parce que l'or la traverse comme un fleuve riche et abondant.

— Je n'aurai jamais assez d'or pour me réparer...

— Moi je serai là, et je t'y aiderai.

— Comment sais-tu que Louis est ton grand amour ?

— Je ne sais pas ce qu'est le grand amour. Mais chaque soir quand je me couche, je m'imagine marchant à côté de lui face au soleil, main dans la main. Et chaque matin, je prie que nous puissions marcher encore un peu. Il est celui qui tient ma main quand je monte ou quand je descends, celui qui supporte le mât lorsque la houle fait tanguer ma petite barque, celui dont le sourire fait oublier les malheurs du monde. S'il était ici, nous ririons. Louis, je l'ai aimé dès que je l'ai vu, il n'a pas besoin d'être là où je suis, il est partout avec moi. C'est ma balançoire.

— Ta quoi ?

— Mon père m'amenait parfois à l'*Englischer Garten* chez nous, à Munich. Je me balançais toujours le plus haut possible, tandis qu'il lisait assis plus loin. Je me disais que si j'arrivais à faire un tour complet, il serait impressionné au point de lever les yeux de son livre et de me regarder. Alors je prenais de la vitesse et je tentais de renverser dans ma course l'ordre des pôles. Tête en bas, pointes vers le ciel, je me concentrais si fort que parfois mes pieds faisaient de l'ombre au soleil. Je fermais les yeux pour ressentir le vertige. J'entendais à l'envers et mettais encore un peu d'ardeur dans mon mouvement, nourrissant l'espoir secret de prendre assez d'allure pour connaître un instant l'apesanteur. Mais les cordes me sauvaient de cette folie. Elles me ramenaient vers la terre. Jamais je ne faisais le tour à cause d'elles, je n'étais pas totalement libre, j'en étais frustrée, mais j'aimais qu'elles me retiennent. C'est ça pour moi, Louis.

— Pourquoi vous n'avez pas d'enfant ?

— Ce n'est pas une condition de l'amour, tu sais ? On peut s'aimer en étant deux, pas forcément trois. C'est un joli chiffre, deux. La preuve, c'est celui que Dieu a choisi pour nos yeux.

— Mais tu n'en as pas envie ?

— Parfois l'envie ne suffit pas », lui répond Eva.

À présent, c'est elle qui pleure.

« Il n'a pas survécu, c'est ça ? »

Eva fait signe que non de la tête. Elle ne peut pas le dire. Les mots une fois prononcés raviveraient sa blessure ; j'ai porté un enfant qui est mort au lieu d'être né.

Soudain, provenant d'un proche îlot de l'autre côté des barbelés, résonne une voix profonde qui amène avec elle un peu de la force et du souffle des entrailles de celui qui chante. Les deux amies tentent d'apercevoir quelque chose entre les branchages, grâce aux pauvres ampoules au bout de leur potence sur l'allée centrale, en vain. Le nez dans les feuilles, elles tendent l'oreille. La voix de ténor entonne, avec un accent espagnol des plus marqués :

Plaisir d'amour ne dure qu'un moment,
Chagrin d'amour dure toute la vie.

J'ai tout quitté pour l'ingrate Sylvie.
Elle me quitte et prend un autre amant.

Plaisir d'amour ne dure qu'un moment,
Chagrin d'amour dure toute la vie.

Tant que cette eau coulera doucement
Vers ce ruisseau qui borde la prairie,

Je t'aimerai, me répétait Sylvie,
L'eau coule encore, elle a changé pourtant.

Plaisir d'amour ne dure qu'un moment,
Chagrin d'amour dure toute la vie.

De toutes les baraques, les femmes en tenue de nuit accourent pour écouter le chanteur, à présent rejoint par un chœur d'une centaine de voix aux intonations allant de la Volga au Danube, du Rhin au Guadalquivir. Des voix s'élèvent de tout le camp et répondent au chanteur que l'on finit par reconnaître, Ernesto.

« Ils chantent pour nous ! s'exclame Eva. À notre tour de leur offrir un concert !

— Oui, mais qui va chanter ? s'inquiète Lise.

— Toi ! C'est pour toi qu'Ernesto chante, tu dois lui répondre !

— J'en suis incapable !

— Je vais t'aider ! » lui lance Suzanne, qui n'attendait que cela.

Suzanne jurait comme la fermière qu'elle était, si bien qu'on l'imaginait mal déployer à travers la nuit une voix mélodieuse pour abreuver les Espagnols de chansons d'amour. Mais, comme elle est bonne camarade lorsqu'elle n'est pas en colère, ce qui arrive, comme la pluie, plusieurs fois dans la journée, personne n'a le cœur de lui en faire la remarque. Elle gonfle sa poitrine, jusqu'à ce qu'un bouton de son corsage jaillisse.

Eh, toi, sous ton béret,
Tu veux m'épouser ?
Vaut mieux te préparer,
Je suis pas une sinécure !

Eh, toi, sous ton béret,
Je suis pas neuve tu sais,
Je me suis déjà donnée,
Je suis la honte du quartier

Eh, toi, sous ton béret,
Vise un peu la tignasse, toute bouclée,
T'as vu ça, une vraie poupée !
Un gars tous les soirs pour me faire jouer

Alors pourquoi je devrais t'épouser ?
T'as l'air bien habillé
Un vrai milord de quartier
Mais j'parie pas sur ton porte-monnaie

Attends, béret, pars pas !
Tant qu'j'peux me chauffer dans tes bras
Dans mon cœur y aura qu'toi
Mais pour les autres parties, j'promets pas !

Les femmes se regardent interdites, ce n'était pas vraiment le message qu'elles souhaitaient faire passer.

« D'où tiens-tu cette chanson ? Je n'ai jamais entendu une chose pareille !

— C'est français, M'me Eva, et c'est moi qui l'ai inventée. Comme je suis pas douée pour tenir conversation à un homme, j'ai toujours l'impression d'y dire ce qu'il faut pas, j'imagine ce que je voudrais lui dire en chanson. »

De l'autre côté des barbelés, des applaudissements enthousiastes et des bravos claquent jusqu'à leurs oreilles, une ovation digne des plus grands spectacles parisiens ! Suzanne sait chanter, pour sûr ! Sa voix est rocailleuse, mais elle a quelque chose d'unique, une fragilité de cantatrice servie par un coffre de cantinière. Les bravos frénétiques apportent à toutes courage et consolation. La cape soulevée par le vent, le surveillant en chef Grumeau arrive. L'heure de la retraite a sonné, tout le monde est consigné.

« Oh, ces femmes, toutes des putains ! Des putains ! » Grumeau pavane dans le couloir, la mine d'un coq en colère à la crête dressée. Chaque fois qu'il est imbibé, il bouscule la porte de la baraque 25, une chandelle à la main. Il traîne par les cheveux la jeune femme au carré brun qu'il a emmenée le premier soir. Il n'a pas pris la peine de la rhabiller. Ses jambes nues râpent le sol dont les immondices pénètrent les plaies de ses pauvres genoux. Sous l'ampoule du plafond, on peut apercevoir son visage, tuméfié sous l'œil droit, la lèvre fendue, comme un fruit trop mûr dans lequel un enfant se serait amusé à enfoncer le doigt pour y laisser son empreinte.

Il alpague la vieille Polonaise Dagmara, aux cheveux noués sous un foulard épais : « Comment vous appelez les putes dans votre langue de youpins ?

— Des femmes. »

Grumeau la frappe au visage de sa badine de cavalier.

« *Khorz,* lâche-t-elle à voix basse, honteuse de n'avoir plus l'âge de se dresser devant le tortionnaire.

— Toutes des *khorz* ! Vous n'êtes bonnes qu'à cela ! Et toi la communiste, t'as plus envie de chanter *L'Internationale* ? T'as oublié les paroles ? Allez, chante ! Chante, je te dis, ou je te donne une bonne raison de te taire ! »

Il frappe encore et encore le visage de la pauvre femme, qui n'avait pas encore trouvé d'amie dans le baraquement. Elle est ménopausée, et c'est une fatalité qui terrorise les autres femmes dont la simple présence prouve qu'elles n'ont pas encore enfanté. Garder l'espoir de porter la vie sert de salut.

Eva profite de la concentration de Grumeau sur son souffre-douleur pour sortir en trombe de la baraque, pieds nus. Une boule dans la gorge l'empêche de crier. Le silence qu'elle a observé jusqu'à présent se brise comme une lame devant la baraque du commandant Davergne. Elle ne crie pas, elle rugit. Et puisqu'il persiste à ne les faire vivre que dans la boue et les cailloux, elle saisit des pierres qu'elle entoure de boue, les malaxe comme pour les broyer de sa main et les jette aux fenêtres en hurlant : « Sortez ! Si vous êtes un homme, sortez maintenant ! »

Davergne a perdu le sommeil depuis que les Allemands ont pris Paris. Il reste là, allongé sur son lit, les yeux plantés dans le plafond, écoutant les programmes de Radio-Paris. Les voix de femmes et les rires provenant des cabarets de la capitale apaisent ses angoisses de disparition du monde. Tant que Montmartre se désape toutes les nuits, Paris est encore en vie.

L'image du drapeau nazi s'étendant de tout son long sur la tour Eiffel lui est insupportable. Davergne saute dans son uniforme, à présent trop étroit. Il a combattu dans une armée de vainqueurs, et jamais n'a envisagé la défaite. Les rumeurs d'un armistice qui se négocierait en secret font vaciller ses certitudes, la foi même qu'il avait en l'armée ; servir et protéger. Que voudrait dire servir son pays, si celui-ci s'est rendu à un autre ? Pourquoi protéger, si rien de ce que nous étions n'est encore debout ? Il a reçu des ordres de Paris, représenter l'autorité, par la crainte et les privations. Être le bras armé de la France même au fond des montagnes où les généraux l'on oublié. Maintenir l'illusion d'être de ceux qui triomphent.

« Vous vous plaignez de Grumel ? Peut-être a-t-il raison, j'ai ouï dire que les hommes entraient comme dans un moulin dans votre îlot », répond-il froidement à Eva.

La boule logée au fond de sa gorge éclate, Eva lui crache sa colère au visage. Davergne semble fléchir. L'habit travestit parfois l'homme. Il s'est perdu dans le jeu de sa fonction. Si sa femme l'avait vu répondre ainsi, elle lui aurait retourné des yeux si pleins de déception qu'il n'aurait pu la regarder. Il en ressent une honte profonde.

« Je n'ai pas voulu dire cela », lui dit-il, en lui tendant son mouchoir propre.

Après s'être mouchée au moins trois fois, Eva commence à retrouver son calme.

« Puis-je faire quelque chose pour vous ?

— Nous voulons que notre responsable d'îlot soit affecté aux hommes, et que vous nous en attribuiez un nouveau.

— Cela sera fait, mademoiselle.

— Et vous pouvez, en réparation des traitements indignes que nous avons subis, faire venir d'une grande ville le meilleur piano. »

La demande aurait dû surprendre le commandant, mais cette nuit-là elle lui paraît la plus naturelle du monde. Il ne cherche plus à comprendre, tout le dépasse. Eva repart dans la nuit avec le curieux sentiment d'avoir emporté une immense victoire.

15 juin 1940

Mon cher Louis,

Aujourd'hui dimanche, j'ai mis la robe rouge que tu m'avais offerte pour notre premier anniversaire. Nous étions allés au jardin du Luxembourg. Elle est un peu grande à présent, tu sais, mais je me sens belle lorsque je la porte, puisque tu m'as dit ce jour-là que tu m'aimais. Les baraques n'ont pas l'air aussi grises que d'habitude, de nombreuses femmes ont mis des vêtements colorés comme si nous fêtions quelque chose. Nous sommes plutôt détendues aujourd'hui, presque insouciantes. Aujourd'hui est le premier jour qui nous est supportable. On ne se tourmente pas. Les autorités ont assoupli les conditions de notre détention. Nous avons soudoyé un boulanger du village qui vient au grillage nous vendre du pain deux fois par semaine. Un certain M. Dupont vient quant à lui nous fournir en fruits, tomates et pommes de terre avec, parfois, du lard. Tu devrais le voir chaque fois friser sa moustache sans qu'on sache si c'est pour la joie d'apporter quelque chose à manger à des pauvres femmes ou par appât du gain. Avec quelques sous, on ne meurt pas de faim, rassure-toi. Hélas, depuis plusieurs semaines que nous sommes là, nous dépensons nos derniers francs. D'ici la fin de la semaine, nous n'aurons plus rien. Qu'arrivera-t-il ? Il nous faudrait gagner de l'argent. Mais que pouvons-nous vendre, Louis, que sommes-nous prêtes à vendre de nous-même pour survivre ? As-tu bien à manger ? Fais comme moi, lorsque la faim me fait trop mal, j'imagine ce que sera notre repas de noces. Je déguste tous les plats dans mon esprit, un par un, et cela me suffit à tenir encore un peu. Et après le repas, nous dansons, lentement. Je pose ma tête contre ton épaule, tu me tiens contre toi, tu me fais tourner délicatement, et nous avons vingt ans. Louis, mon Louis, fais bien attention à toi.

Ton Eva.

TROISIÈME PARTIE

1

La porte de l'enfer est une bouche immense prête à vous avaler tout entière. Elle émet un halètement rauque et exhale une moite chaleur par les immenses trous du nez qui la surplombe, gigantesque comme celui qu'on imagine au Sphinx égyptien. Deux yeux de pierre gravée sans prunelle, dominés par deux cornes dressées comme des serpents prêts à l'attaque. Les cheveux suintent de sueur sur son visage, elle pense étouffer tandis qu'une langue lui lèche le corps. Un portier vêtu de rouge apostrophe ceux qui passent à proximité des lippes infernales pour les convaincre de se laisser happer : « Entrez, entrez chers damnés... Approchez belles impures ; asseyez-vous, charmantes pécheresses, vous serez flambées d'un côté comme de l'autre... » Moins une invitation qu'une injonction.

Elle baisse la tête pour ne pas être croquée par les deux incisives prêtes à entamer la chair, la voilà à l'intérieur. Tout y est différent. La gravité n'y a plus cours. C'est une grotte dont les parois représentent des damnés entraînés dans une danse orgiaque. Elle avance dans la fumée, le pas marquant la cadence d'une musique aux accords tribaux, aux rythmes saccadés qu'on ne peut entendre sans que le corps commence à leur répondre, à leur obéir. Plus loin, dans une sorte de marmite, les damnés cuisent doucement sous les harangues et les lazzis de diablotins qui alimentent le feu de minuscules poussières d'étoile. Ils lui tendent un bock et l'obligent à boire le liquide amer et fort si elle veut aller plus avant. Dans un frisson, les ténèbres se dissipent et laissent apparaître une petite scène sur laquelle s'effeuillent des maudites au teint de lait, au corps de liane, aux pommettes de filles de l'Est. Une étoile danse au-dessus de leurs têtes nues. Elle embarque sur la langue gigantesque, s'accrochant à son relief râpeux et chargé, rouge, rose et blanc, qui la recrache devant une nouvelle porte.

Un garde suisse la guide à travers une immense salle où elle marche au son d'un cantique joué par l'orgue. Des chérubins portant perruques blondes et couronnes de roses, vêtus de tuniques blanches, l'invitent en remuant leurs ailes à s'installer dans la grande salle du banquet. On lui présente alors un calice débordant de cerises à l'eau-de-vie. Un sacristain, d'un balai-chiotte en guise de goupillon, frappe une cloche de bois pour la détourner de son chemin, avant de brandir solennellement l'idole du Cochon d'Or, devant lequel elle doit se prosterner. Des nymphes couvrent de roses ce dieu Porcus. Après avoir bu, regardé, dansé et écouté de tous ses sens, enfin elle a le droit de monter au Ciel. À l'étage au-dessus, un saint

Pierre athlétique monte la garde, porteur de la clef d'or qui guide le visiteur dans une grotte à la voûte ornée de milliers de stalactites dorées. Des anges apparaissent, suspendus dans les airs, des éclairs zèbrent la nuit. Enfin, saint Pierre lui indique la sortie d'un baiser sur la main. Elle se retourne une dernière fois vers la bâtisse aux inscriptions éclairées, Cabaret le Ciel, et juste à côté, Cabaret l'Enfer.

Eva se réveille en sursaut, pleine d'une sensation étrange. Elle était allée dîner avec Louis deux ans plus tôt dans un de ces établissements de nuit du boulevard de Clichy qui font l'attraction du bas Montmartre. Les fêtards passaient alors avec joie de l'Enfer au Paradis, et l'ambiance mystérieuse faisait trembler les plus faquins. Un cabaret, voilà leur salut ! Quelle révélation !

« Lise ! Lise, nous sommes sauvées ! »

Elle secoue sa frêle comparse, qui s'assoit sur son lit de fortune, regarde partout autour d'elle dans le noir, espérant une intervention du secours suisse, ou des soldats américains que tout le monde appelle de ses vœux. De gauche à droite, des femmes à moitié découvertes ronflent, leurs côtes décharnées se soulèvent doucement. Elle fixe Eva avec déception.

« Vous, les chrétiens, vous avez une drôle d'idée du salut. Laisse-moi dormir tant que le Messie n'est pas arrivé !

— Je sais comment gagner de l'argent », continue-t-elle, à voix basse. Les yeux de Lise s'entrouvrent un peu plus.

« Nous allons faire un cabaret !

— Tu es devenue complètement folle ! Tu veux donner raison à l'infâme Grumeau, et lui montrer que nous sommes des *khorz* ?

— Il ne s'agit pas de se prostituer, mais de résister. Les Français nous ont emmenées ici, nous affament, nous insultent, nous traitent d'indésirables. Forçons-les à nous aimer, si nous voulons survivre ! Tu sais quel est le point commun entre les Français et les Allemands ?

— Ces temps-ci, la fièvre des camps ?

— Non, les cabarets. Le monde entier vient à Pigalle admirer les cabarets, ils font salle comble tous les soirs, alors que partout ailleurs Paris est désert ! Les costumes vert-de-gris, à peine entrés dans Paris, que penses-tu qu'ils ont fait ? Ils sont allés envahir les cabarets !

— Jamais je ne me dénuderai pour de l'argent. Et toi qui ne veux pas montrer ta cicatrice, penses-tu leur demander de détourner les yeux et ne te regarder que lorsque tu leur diras "ananas" ? Les filles des cabarets, on ne les respecte pas. Ce sont des objets sexuels.

— Tu te fais des idées parce que tu es trop prude !

— Ce n'est pas moi qui le dis, c'est le docteur Freud, je l'ai lu à l'Université.

— Des objets sexuels ? Ça dépend lesquels, dit Suzanne, réveillée par l'argumentation. Un balai, ça ne me dit franchement rien, un rouleau à pâtisserie, à la limite, je veux bien. Il faudrait faire quoi avec ?

— Vous n'y connaissez rien. Il m'est arrivé de jouer du piano dans ces lieux. Les hommes paient cher pour entendre des femmes les transporter hors d'eux par leur voix, pour les voir danser. Ils réclament qu'on les ensorcelle un peu, avant de rentrer chez eux. Ils aiment ce qui est irréel et qu'ils ne peuvent tout à fait avoir. Nous pourrions faire payer les Français qui surveillent le camp, les militaires, les gendarmes, et même ouvrir aux gens du coin.

— Les Français nous détestent ! répète Lise.

— Ils nous détestent sur leur sol, mais sur scène nous serons au-dessus d'eux, ils nous aimeront.

— Pedro m'a offert une petite casserole après qu'on l'a fait, vous croyez que ça fait de moi un objet sexuel ? s'inquiète Suzanne. Parce que sinon, j'aurais préféré une marmite pour tout ce que je lui ai fait. »

Eva reprend son argumentation, illuminée par son idée.

« Ce sont de véritables divas, les Français comme les Allemands se prosternent à leurs pieds et leur font le baisemain. Et s'ils arrivaient jusqu'ici, ils nous laisseraient la vie sauve, puisqu'ils ont épargné jusqu'à maintenant les artistes de cabaret !

— Tu veux dire les endroits devant lesquels on peut lire à présent une pancarte portant la mention "Interdit aux juifs" ? D'après Hitler, nous sommes incapables de manier la musique et le verbe, nous empoisonnons le beau.

— Et cela ne te donne pas envie de chanter plus fort pour lui donner tort ? De devenir un oiseau de paradis qui déploie sa gorge ?

— Moi, ce serait plutôt une grosse perdrix, intervient Suzanne. Ça marche quand même ?

— Vous pourrez être l'oiseau que vous souhaitez.

— On ne va pas se laisser plumer le ramage sans rien dire, quand même, dit Suzanne, parfaitement réveillée et ragaillardie par la pensée d'une perdrix bien dodue et rôtie.

— Lise, ce qui s'abat sur l'Europe ne concerne pas que les juifs. Cela nous concerne toutes. Hitler veut instaurer un monde où les femmes seraient à la maison à accoucher de nombreux enfants. Nous leur serions entièrement dévouées. Nous passerions notre temps aux fourneaux et c'est tout. Les enfants, la cuisine, le dévouement, voilà la vie d'une femme à leurs yeux.

— Moi, je m'en contenterais, peste Suzanne, je ferais bien des petits frisés joufflus à Pedro !

— Oui, Suzanne, mais tu voudrais qu'on te force à faire des petits blonds à un Fritz ?

— C'est-à-dire que je ne le connais pas, moi, ce Fritz, et Pedro, il a l'air du genre jaloux...

— Mais nous sommes dans un camp de prisonniers ! dit Lise.

— Le commandant Davergne sera de notre côté.

— Comment comptes-tu le convaincre ?

— L'autre jour, quand je suis allée me plaindre auprès de lui, il écoutait Radio-Paris. J'ai entendu la voix de Suzy Solidor. C'était un spectacle diffusé depuis son cabaret. Et il avait l'air d'aimer cela.

— Et alors ?

— Alors s'il aime une blonde platine androgyne à la voix grave, qui ne fait pas mystère d'aimer les hommes comme les femmes et chez laquelle chaque soir les officiers nazis viennent s'encanailler, je ne vois pas pourquoi il nous refuserait !

— Tu oublies un détail ; le Reich a interdit la danse et la musique dégénérée.

— Eh bien, des indésirables qui chantent sur de la musique dégénérée, cela semble parfaitement cohérent. »

Cette fois, l'étincelle de la rébellion s'était enfin allumée chez la pâle Lise. Suzanne s'inquiète des formalités pratiques.

« Il nous faudra des costumes.

— Je suis costumière au Bolchoï, je vous aiderai, lance une ombre à l'accent soviétique qu'on aperçoit courir en canard vers la sortie.

— Voilà un souci de moins, se réjouit Eva.

— Et pour la musique ?

— J'ai un *fidl* dans ma valise, résonne une autre petite voix, celle de Dagmara, à qui elles avaient porté secours le soir de leur arrivée, sortant un petit violon qui n'avait que trois cordes.

— Moi je jouerai au piano, s'enthousiasme Eva, Suzanne et Lise vous chanterez.

— Je veux bien chanter si tu fais apparaître un piano !

— C'est impossible de faire venir un piano dans un camp, et d'y monter un cabaret. Paris, c'est terminé », dit encore Lise, agacée de s'être laissée porter un instant, dans l'obscurité, par ce rêve aux heureuses sonorités.

2

Sylta Nemenskaia est sortie au milieu de la nuit sans prendre le temps de se couvrir. Elle se presse vers les latrines. D'abominables coliques lui torturent les entrailles et elle se répète comme pour s'en convaincre : « Pourvu que j'arrive à temps. » À peine installée au-dessus de la fosse, elle sent un jet, brûlant comme de l'acide, s'échapper avec violence de son corps. L'horreur de se voir ainsi, accroupie, suante, tandis que le liquide chaud et nauséabond coule le long de ses jambes glacées par le froid s'empare d'elle. Des larmes de révolte et de souffrance lui viennent aux yeux. « Et si ma mère me voyait ainsi ? » pense-t-elle. Elle a quarante ans, mais n'a soudain plus d'âge et sa mère, restée à Moscou, lui manque terriblement en cet instant. Elle aurait voulu qu'elle lui lave le front, qu'elle efface sa honte, qu'elle lui dise que cela aussi, cela passerait, comme le reste, qu'elle guérirait, qu'elle oublierait.

Elle se redresse avec difficulté, prenant soin de ne pas glisser sur les planches de bois détrempées. Reste l'étape la plus délicate de l'opération reste, s'essuyer. Son trousseau de détenue politique ne comporte plus depuis longtemps ni bas, ni linge de corps. Elle ne possède plus rien sinon les vêtements sur son dos et quelques bouts de tissu attrapés en toute hâte quand on est venu l'arrêter pour propagande communiste. Du taffetas, de la soie, des ornements destinés à créer des cygnes, des reines de la nuit, mais rien qui serve à une prisonnière. Jamais elle ne s'est sentie aussi seule que sur l'estrade souillée exposée aux vents. Entortillée autour de son cou, une écharpe bleue tricotée par sa mère, dont la laine, rêche et épaisse, lui sert aussi à poser sa tête la nuit. Contrainte à la pire extrémité, Sylta la sacrifie dans l'affreuse mare d'excréments, avant de rebrousser chemin, espérant que les douleurs de ses entrailles se tairont suffisamment longtemps pour qu'elle puisse se rendormir. Sitôt qu'elle ferme les yeux, un cercle de femmes indignées l'entoure, se plaignant de l'odeur pestilentielle qui se dégage d'elle, et menace de la jeter dans une auge d'eau froide sur-le-champ. Eva repousse avec douceur les accusatrices au nez irrité et lui met d'autorité dans la main une chiffe trempée dans la casserole de Suzanne, qui sert à récupérer les gouttes de pluie. Sylta se relève pour aller se nettoyer à l'extérieur. Eva regarde s'éloigner sa haute silhouette efflanquée et ses cheveux jaunes. Sylta aimait plus que tout son métier ; les coulisses du Bolchoï, ignorées du public comme des critiques, possédaient à ses yeux la seule grâce véritable. Inquiétée par le KGB à cause de ses sympathies pour les émigrés allemands que la

176

répression stalinienne touche alors durement, elle a dû quitter Moscou à regret. Elle a réussi à gagner Paris, où les autorités n'ont pas tardé à la trouver suspecte. Ainsi elle a fini, on ne sait trop comment, parmi les femmes de mai.

Trois jours se sont écoulés quand, à l'aube, le fracas des roues d'un camion militaire qui s'avance dans l'allée fait sursauter les occupantes de l'îlot des Indésirables. La baraque est en effervescence, le temps est comme suspendu. Les Français amènent-ils d'autres prisonnières, ou les Allemands viennent-ils les prendre ? Un attroupement se crée, les hommes d'un côté de l'allée, les femmes de l'autre. Le commandant, plus officiel que jamais, les bottes propres et le ventre rentré, s'avance à pas lents. « Ils vont nous embarquer. » La rumeur se propage. Eva, qui avait pu observer que l'anxiété de Davergne s'accompagnait d'un tic nerveux, ne le voit pas triturer ses lunettes. Avec soulagement, elle examine son visage, son attitude, sa voix : tout lui apparaît calme, voire satisfait, rien de mal ne peut arriver. Si seulement il tournait la tête, si elle croisait ses yeux un instant, elle saurait. Aucun homme n'est capable de soutenir le regard d'une femme qu'il va briser, s'il lui reste encore une étincelle d'humanité. Même le chirurgien qui l'avait opérée n'avait pu la regarder après qu'il eut plongé ses mains dans son ventre. D'un geste, Davergne réquisitionne quatre Espagnols pour décharger sa cargaison. Deux gardes sautent à l'arrière du camion et soulèvent la bâche délavée par les pluies. Beaucoup de cris et de jurons résonnent jusqu'à ce qu'enfin, sous une épaisse couverture de laine, on le voie émerger. Un piano à queue, au bois lisse, aux jambes fines et au dos rond. Les pieds dans la boue, il semble si précieux que les Espagnols ne peuvent s'empêcher de le caresser avec des murmures d'admiration. Aux yeux émerveillés d'Eva, c'est le plus bel instrument que la terre ait jamais porté. L'apparition a quelque chose de surnaturel, de magique. Les oiseaux ont sans doute attendu cet instant pour entonner une mélodie créée pour l'occasion. À ce moment-là, comme à dessein, l'aurore déclenche son feu de couleurs. Si la nature peut s'unir ainsi à l'homme, il y a de l'espoir.

*
* *

Du Guadalquivir à Cadix
Y en a pas neuf, Y en a pas dix,
Le seul qu'est beau comme un sou neuf,
C'est Pedro, c'est le roi !

Et croyez-moi un gars comme ça,
C'est t'jours à court de peseta
Mais si on cherche la fortune,
On risque pas d'trouver la lune.
Quand il m'appelle mi brunetta,
Je ne réponds plus de moi !

Pedro ! Pedrito !
Je t'ai dans le sang, je t'ai dans la peau,
Pedro ! Pedrito !
Je sens que pour toi je deviens marteau

De Saragosse à Burgos
Y en a pas dos
Qui fassent le poids
Face à Pedros !

C'est l'amour vache,
Sous ses moustaches,
Et son cou de taureau
Vient caresser mon dos

Pedro ! Pedrito !
Je t'ai dans le sang, Je t'ai dans la peau,
Pedro ! Pedrito !
Je sens que pour toi je deviens marteau

Quand il me dit mi cariño
Yo veux goûter ta fleur d'oranger
C'est qu'il a l'âme d'un jardinier
Dans la grange, faut l'voir biner
Les bras bandés
C'est si bon d'avoir un étranger

C'est le roi du tango
Sous son sombrero un vrai macho
Toutes les femmes le voudraient
Mais j'suis pas près de le lâcher
Je suis jalouse, je le ventouse !

Pedro ! Pedrito !
Je t'ai dans le sang, je t'ai dans la peau,
Pedro ! Pedrito !
Je sens que pour toi je deviens marteau.

3

Le chant de gorge de Suzanne résonne jusqu'aux baraques les plus éloignées du camp. Elle a superposé tous ses jupons pour former une masse froufroutante, qu'elle remonte jusqu'aux genoux en levant ses jambes courtes et rondelettes, faisant claquer ses sabots au sol, dans un mélange moitié cancan, moitié allemand. Eva l'accompagne au piano, sur un tempo de valse rapide, Dagmara fait pleurer son petit violon au vernis écaillé, en se balançant de gauche à droite, moins pour battre la musique que pour masquer ses tremblements. Les Espagnols scient, clouent, martèlent et rient aux éclats, donnant des coups de coude à Pedro. Personne ne sait exactement ce qu'il comprend mais il ne se lasse pas d'offrir son marteau en hommage à celle qu'il appelle affectueusement *Bigoudas*. Suzanne est de ces femmes qui masquent sous mille facéties le cœur sensible des jeunes années où l'inexpérience assaisonne chaque sentiment d'un goût nouveau.

Le commandant Davergne a pris ses renseignements. Meurtri d'avoir appris que de pauvres créatures avaient été violentées sous sa garde sans qu'il n'en sache rien, il a fait vider une des baraques de l'administration, juste à côté de la sienne, pour accueillir le quatuor qui s'est choisi pour nom « Le Cabaret bleu ». Cette couleur omniprésente dans le camp au ciel immense, chaque soir, s'installe sur les Pyrénées, avec l'impétuosité et la clarté du jour, puis mue, se nuance, se transforme, se fait plus profonde pour disparaître dans la nuit.

Eva, en chef d'orchestre, ordonne la répétition. Son entrain seul suffit à galvaniser les trois autres grâces du taudis.

« C'est bien, Suzanne, tu la chanteras ! Mais je pense que nous devrions commencer par quelque chose qui montre qui nous sommes. Il y aura les gardiens et leurs familles, mais aussi les paysans et les habitants de la région. Ceux qui nous ont craché dessus lorsque nous sommes arrivées à la gare d'Oloron. Si nous voulons les toucher, nous devons parler de nos conditions de vie. Qu'est-ce qui vous est le moins supportable ?

— La faim, répond Suzanne, avant même la fin de la question, comme si elle sautait sur les mots pour les gober.

— Tout... Le froid la nuit, porter du linge fané que l'odeur d'humidité ne quitte jamais, marcher pieds nus sur le sol souillé, les souris, les punaises ! L'impression que le temps s'est arrêté, et d'être là depuis mille ans pourtant », lui répond Lise à voix basse, guettant de l'œil la porte d'entrée.

La main droite d'Eva se soulève, comme une marionnette tirée par des fils invisibles, puis s'abaisse à hauteur du clavier que la jeune femme caresse avec élégance, la tête penchée vers la gauche, comme plus près du cœur, cherchant à écouter son murmure. Sous ses doigts, l'instrument du miracle ronronne. Chaque note est un tout.

> *Les soucis rongent nos cœurs,*
> *Les souris nos affaires.*
> *Des poux dans les cheveux,*
> *Et des cheveux blancs à se faire.*
>
> *Quand au poêle manque le charbon*
> *À cause des minuscules rations*
> *Quand la nuit grelotte et tousse*
> *À qui nous plaignons-nous ?*
>
> *Quand le manque de pain fait du chagrin*
> *Quand la soupe est plus claire que l'eau*
> *Que nos ventres crient plus fort que les folles*
> *À qui nous plaignons-nous ?*
>
> *Quand les chemises de nuit sont trouées*
> *Usées, souillées, mouillées, rongées,*
> *Que même le sucre vient à manquer*
> *Lui seul qui adoucissait le faux café*
> *À qui nous plaignons-nous ?*
>
> *Quand les sabots sont volés,*
> *Les chaussures déchirées,*
> *Qu'une cruche a disparu*
> *Que par le toit tombe la pluie,*
> *À qui nous plaignons-nous ?*

Quand on a peur des souris
Qu'on n'a plus de tabac
Et qu'à 9 heures on doit se taire
Éteindre toutes les lumières
On s'endort avec ses plaintes comme oreiller

La voix de Lise, claire et pure d'habitude, tressaille à chaque mot. Sa poitrine est oppressée par toute la colère et l'injustice qu'elle retient en cage comme deux oiseaux qui ne demanderaient qu'à sortir, attirés par la mélodie d'Eva. Lorsque la porte soudain s'ouvre, Lise se retourne, prise de fièvre. Le commandant Davergne a le visage mouvant, mi-souriant, mi-hiératique. Il a écouté la chanson en entier, derrière la porte. Si ce genre de propos, bafouant l'armée française, devait se répandre, il aurait à en répondre devant les juges de la cour martiale. Mais pourquoi interdire la vérité ? Et si ces étrangères si blanches au long cou devaient mourir sous son autorité, n'ont-elles pas droit au chant du cygne ?

« Nous organiserons dans trois jours, le 21 juin, à l'occasion de la fête de l'été, une soirée de spectacle où vous jouerez. Les billets seront vendus 5 francs. Deux seront alloués au fonctionnement du camp, afin de maintenir votre qualité de vie, le reste vous reviendra, et sera à répartir à vos bons soins. Nous installerons une cinquantaine de sièges. Si vous acceptez ces conditions, je vous saurai gré d'être prêtes, ou cette première sera une dernière. Mesdames, j'espère que vous vous rendez compte de l'immense privilège que vous octroie l'État français en vous autorisant, en tant qu'ennemies, à vous produire sur scène. Ne nous décevez pas. »

Il tourne les talons, faisant sauter les épaisses lattes de bois dont les clous manquent, retirés par les Espagnols afin de les réutiliser. Bien sûr, il n'a pas prévenu ses supérieurs et encore moins le préfet de l'événement, et prend sous sa responsabilité d'organiser l'ouverture du Cabaret bleu. Si la revue servait de diversion à une évasion, sa carrière militaire serait terminée. Il veut que ces femmes aient une bonne image de la douce France qui était la sienne, et cela mérite bien quelques risques. Pour accompagner son départ et en remerciement de leur avoir donné une raison de vivre, un projet au sein du chaos, Eva, pour la première fois, se met elle aussi à chanter, *Le Monsieur aux gants blancs* :

Autrefois j'étais un monsieur élégant
J'avais un pli de pantalon, une cravate et
    un col blanc
Et sur le monde une vision, celle d'un
    gagnant
La misère d'autrui ne m'atteignait pas plus
    haut
Que les rebords de mon chapeau
Et mes gants en chevreau
Je n'étais pas mesquin,
J'étais courtois et parisien
De la douleur d'autrui je ne savais rien
Les choses ont bien changé
J'ai glissé dans la boue
Ma vision du monde s'est rétrécie
Adieu chapeau, cravate et col blanc

J'ai chaussé les gants blancs
Ceux qui siéent aux commandants
J'ai appris les larmes d'autrui
Les pleurs des hommes seuls et sans aide
Qui crient en rêve le nom de leurs enfants
Je ne suis plus un monsieur élégant
Je suis un homme, c'est suffisant

Lise et Suzanne applaudissent chaleureusement, Dagmara ne lâche pas son violon.

« On devrait donner un nom au piano ! » s'exclame Suzanne.

La stupeur est générale.

« C'est un miracle qu'il soit là, comme un nouveau-né qui serait apparu pour nous sauver ! Je ressens une grande joie rien qu'à le regarder ! Appelons-le Jésus ! Il va dormir dans une cabane de bois avec de la paille, il va nous permettre de multiplier les pains, et peut-être même de changer l'eau croupie en vin ! Si ce n'est pas le Messie, je ne m'appelle plus Suzanne ! »

Toutes acquiescent dans un éclat de rire. Suzanne, prise à nouveau d'une envie frénétique de danser en montrant ses mollets, attrape les rebords de ses jupes qu'elle fait valser, et, voyant Lise perdue dans ses pensées, la fait enrager :

Mon piano s'appelle Ernesto,
Tout l'monde me l'envie
J'y tape dessus, il gémit
Tout le jour, toutes les nuits
Un grand noir très costaud
Doux comme un agneau

Et dur comme du bois
Qui n'appartient qu'à moi

La porte s'ouvre, Ernesto entre. Ses cheveux d'argent commencent à repousser. Lise rougit plus qu'aucun rouge-gorge de toute la région. Soudain s'annonce dans les tourments la plus belle des saisons. Eva les observe. Entre ces deux-là, l'amour va de soi comme un phénomène naturel qu'aucune avanie ne peut empêcher.

4

Ernesto a travaillé toute la nuit pour transformer la baraque au piano en scène de théâtre. Au plafond, il a cloué des draps blancs et propres volés à l'infirmerie, seul endroit du camp à receler une telle richesse, sur lesquels il s'est appliqué à dessiner des nuages si fins qu'on les dirait faits de dentelle et des étoiles aux reflets rosés. Il a mélangé toutes les substances qu'il a pu trouver. Tel un animal, il a marché le nez au sol, malaxé la boue, frotté les racines jusqu'à recueillir les pigments nécessaires pour que les étoiles aient les teintes d'un soleil couchant. Au fond de l'estrade, à un mètre de haut, derrière le piano qui trône au centre, il a peint un décor. Un bal musette dans une forêt touffue d'arbres aux essences variées, avec, au milieu, un saule pleureur dont les branchages semblent effleurer le plancher. S'étalent sur le pauvre drap des trésors qui n'avaient plus cours ici ; des guirlandes colorées, des tables de café couvertes de victuailles, du cochon, du vin, du fromage et du pain ! Une chapelle Sixtine dont Ernesto serait le

Michel-Ange héroïque. Cet homme qui n'était pas le plus beau ni le plus grand savait créer de ses mains un monde tout entier.

Des planches de bois en guise de bancs sont tournées vers l'estrade. Au bout de chaque rangée, de petites lampes faites d'abat-jour en carton sont fixées sur une tige de barbelés. Un tel soin a été porté à la réalisation de ces objets inutiles qu'il n'y a qu'à fermer les yeux pour être transporté dans un autre monde. Le commandant Davergne a donné au quatuor du Cabaret bleu ainsi qu'à leur costumière l'autorisation de circuler librement dans le camp, pour faciliter les répétitions.

« C'est si beau, on dirait un rêve, dit Suzanne.

— Peut-être que demain tout sera évaporé, poursuit Lise, tandis qu'elles découvrent la baraque décorée, saisies comme des enfants pauvres au matin de Noël devant un sapin chargé d'incroyables jouets.

— Alors dépêchez-vous d'en profiter ! »

Ainsi les enjoint Sylta, si émue que son âme russe accommode un vers de Pouchkine, réminiscence de ses années à l'Opéra : « L'ivresse du monde est mortelle. Et nous sommes prises, vous et moi, chères amies, dans son tourbillon. Alors, autant danser ! »

Il y a dans son caractère quelque chose d'éminemment russe, une urgence de grandeur en même temps que la nostalgie de celui qui se sait condamné.

« T'as intérêt à le remercier comme il faut, ton Espagnol, un gars comme ça, ça mérite qu'on s'occupe drôlement bien de lui, dit Suzanne à Lise.

— Nous n'avons pas ce genre... d'intimité, murmure Lise.

— Ben, pourquoi qu'y t'fait pas envie ? Quand c'est servi faut manger chaud, des fois qu'une affamée passe par là et lui ronge l'os. »

Eva rit sous cape, Lise, qui n'a pas tout saisi, reste coite.

« Je veux attendre d'être mariée pour... devenir carnivore, tente-t-elle, provoquant l'hilarité générale.

— On est ici pour un bout de temps, et les prisonniers ont pas le droit de se marier, rétorque Suzanne. Ben quoi, j'ai demandé. J'aime bien butiner Pedro, mais j'veux une vraie ruche, tout c'qu'il y a de plus classique ! Et si tu te décides pas, les rats trompettes, y seront déjà à la quatrième génération que t'auras toujours pas touché ton Ernesto. Alors, au diable les formalités !

— Ce n'est pas une question de formalité... Je ne veux pas mêler mon souffle à qui n'est pas mon *beshert*, celui avec lequel ma vie doit s'écrire. En yiddish, cela veut dire que l'Univers nous a façonnés de telle façon que nous sommes complémentaires. Quarante-cinq jours après sa conception, chaque homme se voit destiner une femme, et tous deux sont liés. Et le temps ne compte pas. Ce qui doit être réuni sera réuni au moment venu.

— Et comment tu sais qu'il ne l'est pas ?

— Il... Il n'est pas juif. Ma famille, ma mère, ne l'accueilleraient pas. »

En prononçant ces mots, Lise se rend compte que sa famille, en Allemagne, n'est peut-être déjà plus, et qu'elle ne connaît rien du destin de sa mère, restée à Paris. D'ailleurs, elle n'a sans doute pas survécu au chagrin de l'avoir vue raflée. Les Allemands, maintenant qu'ils étaient à Paris, tuaient-ils jusque sur le sein de Marianne les fils d'Abraham ? Ce doute affreux fait naître en elle des questions qui ne l'avaient jamais taraudée encore.

« Je serais rejetée par ma communauté, si je le choisissais. Je dois être sûre qu'il soit fait pour moi.

— Je connais quelqu'un qui pourrait t'aider à le savoir », lance Eva, l'œil malicieux.

La chapelle forestière, le sous-bois merveilleux dessiné par Ernesto l'ont inspirée. Elles ne peuvent se contenter de pousser la chansonnette et de parler de leur condition d'internées. Un tel décor mérite un spectacle à sa hauteur.

« Connaissez-vous Shakespeare ? »

Suzanne fait signe que non, Dagmara soupire un oui sur son violon. Lise acquiesce.

« Demain, nous devrions interpréter *Le Songe d'une nuit d'été*.

— On va dormir à la belle étoile, c'est ça ? Ah non, y a trop d'humidité, on va attraper la mort, répond Suzanne.

— Tu dormiras dans le même confort relatif que les autres soirs, ne t'en fais pas ! C'est une pièce de théâtre écrite par un Anglais qui...

— Un Anglais ? Ben, ils feraient mieux de gagner la guerre au lieu d'écrire du théâtre !

— Je suis sûre que ses mots te permettront de t'évader le temps d'une soirée.

— J'ai déjà eu du mal à entrer, c'est pas pour m'évader. »

Les trois interprètes en herbe se tiennent debout, les bras en croix, tandis que Sylta confectionne sur leur corps les costumes qu'elles porteront le lendemain. Elle a apporté la seule chose qu'elle a pu trouver, des barbelés, du papier, deux mouchoirs, un vieux châle, de la paille. Elle détricote le châle pour faire trois ceintures de laine identiques, qu'elle noue au-dessus de leurs chemises. Elle tresse les brins de paille en couronnes, sur lesquelles elle coud des fleurs qu'elle a fabriquées avec le papier, maintenues par un minuscule morceau de fil barbelé.

« Mais je le connais pas ton bonhomme, je suis sûre que c'est encore un vieux type qui porte une collerette et veut nous faire parler en vers. Pour moi les vers, ça n'a qu'une seule utilité, au bout d'un crochet, pendus à une canne à pêche, plongés dans une rivière. Avec un ver pas plus long que mon petit doigt, tu loupes pas un brochet ni un gardon.

— Il n'y aura pas de vers, ni dans ta bouche, ni dans la rivière, Suzanne, je te le promets ! Le sujet ne peut que te plaire, puisqu'on y parle de l'amour, de sa force magique et de ses difficultés.

— Ça va nous dire pourquoi des hommes fidèles et dévoués on les trouve qu'ici, prisonniers entre quatre barbelés, et pourquoi dehors on ne tombe amoureuse que d'ânes bâtés ?

— Pas exactement en ces termes. Tu ne penses pas si bien dire ! Cela parle aussi d'une femme qui aime un homme qu'elle ne devrait pas aimer, car son père la destine à un autre, qu'il estime plus respectable parce qu'il l'a élu. »

Par cette simple phrase, Eva gagne la curiosité de Lise.

« Mais comment jouer une pièce dont nous n'avons pas le texte ? »

Lorsque son père lisait le soir à voix haute, Eva bougeait les lèvres silencieusement, murmurant les mots qui accaparaient ainsi les yeux de celui qui ne la regardait pas assez. Elle avait mémorisé des passages entiers, cela lui donnait l'impression d'être plus proche de lui.

« Je m'en souviens par cœur, et ce qui vient à manquer, nous l'improviserons !

— A-t-on le droit d'improviser Shakespeare ?

— Tu vas pas lui dire, hein ? s'inquiète Suzanne. Faut pas fâcher les Anglais, ils peuvent encore nous aider.

— On a tous les droits, quand il s'agit de rendre quelqu'un vivant. On trahit toujours un maître quand on crée quelque chose, quand on améliore une partition. Seule compte la beauté de ce que nous en ferons, demain soir, Shakespeare, c'est nous ! »

Sylta les écoute en silence en finissant de coudre les costumes. Elle pose les couronnes de paille sur leurs têtes, replace les fleurs de papier, pour qu'on ne perçoive pas les piques. Elle a tressé la couronne de Lise en laissant pendre des pans entiers de papier entre les nattes, qui recouvrent sa chevelure comme un long voile de mariée. Elle recule de quelques pas pour les contempler. Elle voit une grande blonde, une brune émaciée et une petite rousse toute ronde et toute frisée. C'est la pire formation de ballet pour laquelle elle ait eu à créer, une compagnie de vieilles filles dégingandées.

5

LYSANDRE. — Qu'avez-vous donc, ma chère ?
Pourquoi cette pâleur sur vos joues ? Quelle cause
a donc si vite flétri les roses ?
HERMIA. — Apparemment, le défaut de rosée,
qu'il me serait aisé de leur prodiguer de mes yeux
gonflés de larmes.

Suzanne, les cheveux plaqués en arrière, une chemise et un pantalon de Pedro en guise de costume, s'arrête.

« Un manque de rosée, ça n'a jamais fait flétrir les roses, je savais bien qu'il allait dire n'importe quoi, ton Anglais. La grêle, ou un champignon, c'est ça qui ruine les roses. S'il manque de la rosée, il suffit d'arroser, et le tour est joué. »

Face à elle, Lise ne peut se retenir d'éclater de rire. La transparente libellule est transfigurée par le costume de Sylta, la grossière chemise a sur elle la pureté d'un linceul et la couronne de fleurs de papier la noblesse d'un marbre antique.

« Suzanne, laisse les mots venir frapper ton esprit, sans vouloir maîtriser leur sens, et concentre-toi sur leurs images plutôt que sur leur vérité. Tu es Lysandre, le jeune homme amoureux d'Hermia, dont le père a promis la main à un autre que toi. Lise, tu es Hermia, tu aimes Lysandre à t'en damner et tu souffres le martyre de devoir te donner à un autre qui te laisse froide, parce que c'est ce que l'on attend de toi. Vous voudriez agir, mais que faire, puisque vous êtes tous les deux les victimes de quelque chose de plus grand que vous, qui vous empêche de vous aimer ! »

Eva agite ses mains face à l'estrade de bois et les engage à poursuivre.

LYSANDRE. – Hélas ! J'en juge par tout ce que j'ai lu dans l'histoire, par tout ce que j'ai entendu raconter, jamais le cours d'un amour sincère ne fut paisible. Mais tantôt les obstacles viennent de la différence des conditions...

HERMIA. – Oh ! Quel malheur, quand on est enchaîné à quelqu'un de plus bas que soi !

LYSANDRE. – Tantôt les cœurs sont mal assortis à cause de la différence des années...

HERMIA. – Ô douleur ! Quand la vieillesse est unie à la jeunesse.

LYSANDRE. – Tantôt c'est le choix de nos amis qui contrarie l'amour...

HERMIA. – Oh ! C'est un enfer, de choisir l'objet de son amour par les yeux d'autrui.

« Si c'est pour rencontrer un pouilleux, ou un vieux, et qu'en plus il va calancher, à ce compte-là, alors autant rester couchée !

— Mais il faut attendre la suite, Suzanne, l'amour triomphe de ces fatalités !

— Y a intérêt. Parce que mon Pedro j'ai mis vingt-huit ans à le trouver, j'ai pas envie que les Allemands ils m'y fassent un trou dedans ou qu'il soit tuberculeux ! Et ton Shakespeare, je lui dirais bien deux mots, de me faire des frayeurs comme ça !

— C'est parce qu'il brave les dangers que l'amour est grand. Imagine le camp comme une forêt séparée du monde extérieur où règnent le bruit et la fureur. Enfin tu as trouvé un homme que tu voudrais être le premier à voir quand tu ouvres les yeux, et le dernier à voir avant de les fermer. Tu voudrais ne jamais te réveiller de ce songe !

— Au moins, tant qu'il dort, il n'en regarde pas d'autres. Parce que dans la vallée, aux bals, toutes mes amies ont été mariées, les voisins les ont toutes demandées. Mais moi, je ne suis pas assez comme il faut. Si j'étais belle, je ne me poserais pas autant de questions, je serais sûre qu'il m'aimerait, même après sa libération.

— Ma chère Suzanne ! Ne te fais pas tant de mal, ce n'est pas à cause de ton allure, cette inquiétude est celle de tous ceux qui aiment ! On voudrait que celui qui habite nos pensées ne puisse plus voir que nous ! Et l'on a toujours peur que ses yeux, au réveil, ne se portent ailleurs.

— On va quand même pas leur crever les yeux, ce serait drôlement vache ! Et qu'est-ce qu'on en ferait, après ?

— Pas besoin d'une telle extrémité, un élixir est déposé sur les paupières de l'aimé, qui le rend aveugle aux autres.

— Il commence à me plaire, ton Shakespeare !
Tu crois qu'il la vend cher, sa médecine, et qu'il
peut t'en faire venir jusqu'ici ?

— On peut en trouver partout ! »

Suzanne, émerveillée, fait de petits bonds de
joie.

« Il est en toi, Suzanne. »

Suzanne inspecte ses genoux, entre ses seins,
se tâte, se fait les poches, à la recherche de
l'élixir dissimulé.

« Il est en toi, il est en Pedro aussi... c'est
l'amour ! » s'amuse Eva.

> *Fleur de couleur de pourpre,*
> *Blessée par l'arc de Cupidon,*
> *Pénètre dans la prunelle de son œil !*
> *Quand il cherchera son amante,*
> *Qu'elle brille à ses regards du même éclat*
> *Dont Vénus brille dans les cieux.*
> *Si, à ton réveil, elle est auprès de toi*
> *Implore d'elle ton remède.*

« On s'est fait arnaquer par un Anglais. Est-ce
que je ne l'avais pas dit ? se désespère Suzanne.

— Bien au contraire ! Il nous montre qu'on
peut changer le destin, si l'on a la force d'aimer,
et pas seulement le désir, continue Eva. Vous
manquez d'imagination ! Lise, tu n'oses t'avouer
que tu aimes Ernesto, quand ici tout le monde
le voit. »

Bien sûr, Lise avait toujours su que sa famille
était juive, on n'en avait pas fait le secret, mais
son origine n'avait toujours eu pour elle qu'un

vague sens. Le jour du Grand Pardon, avant le coucher du soleil, sa mère allumait des bougies et la bénissait, tandis que son père se rendait à la synagogue de la Fasanenstrasse. Elle lui récitait quelques vers dont elle ne comprenait alors pas le sens et n'avait retenu que la fin : « Son bras gauche soutient ma tête et sa droite me tient enlacée. Je vous conjure, filles de Jérusalem, n'éveillez pas, ne provoquez pas l'amour avant qu'il le veuille. » Elle s'en était fait une maxime secrète. Le soir, les oncles et les tantes venaient rompre le jeûne. Ils évoquaient un pays lointain bâti par leurs ancêtres, où la langue avait des sonorités étranges, où les oranges étaient gorgées de soleil, où un Dieu terrible veillait sur ses enfants. Cela ressemblait alors un jeu nébuleux, fait de mots magiques et d'interdits, être juive. Et en France, elle avait oublié. Elle était une immigrée, une Allemande, le reste était dans une petite boîte fermée à clé. Lorsque la guerre avait éclaté, la petite boîte s'était ouverte. Lise avait accepté l'idée de mourir à cause de ce qu'elle était mais n'avait jamais envisagé d'aimer en dehors de ce qu'elle était. Et en ces temps de troubles, elle avait l'impression de trahir deux millénaires en n'ayant à l'esprit qu'un seul commandement : vivre encore un jour de plus pour revoir Ernesto, à travers le grillage, lui tenir la main. Que son bras gauche soutienne sa tête et sa droite la sienne enlacée.

« Mais pourquoi c'est moi qui dois faire l'âne ? Forcément, ça m'aurait étonnée ! »

Suzanne monte sur la scène, arborant une coiffe de papier sur laquelle sont fixées deux oreilles de vache que Sylta a négociées âprement aux cantinières, et une sorte de queue de raphia.

« Parce que toi, Suzanne, tu crains de ne pas être aimée telle que tu es. Tu joueras Bottom, un comédien qui remporte peu de succès. Un sort t'a été jeté, tu es affublé d'une tête d'âne, tu redoutes que personne ainsi ne veuille jamais t'aimer, parce que tu es laid. Mais Titania, la reine des Fées, s'éprend follement de toi, lorsqu'elle se réveille à tes côtés dans la forêt des songes.

— Elle a dû dormir sur des drôles de champignons dans ce bois, je te le dis !

— Parce que tu penses qu'on ne pourrait pas t'aimer ainsi, avec de grandes oreilles ? »

TITANIA, S'ÉVEILLANT. – Ah ! je te prie, aimable mortel, chante encore. Mon oreille est amoureuse de tes chants, mes yeux sont épris de ta personne ; et la force de ton brillant mérite me contraint, malgré moi, de déclarer, à la première vue, de jurer que je t'aime.

BOTTOM. – Il me semble, madame, que vous n'auriez guère de raison pour m'aimer ; et cependant, à dire la vérité, la raison et l'amour ne vont guère aujourd'hui de compagnie : c'est grand dommage que quelques braves voisins ne veuillent pas les réconcilier. Oui, je pourrais ruser comme un autre dans l'occasion.

TITANIA. – Tu es aussi sensé que tu es beau.

BOTTOM. – Oh ! ni l'un ni l'autre. Mais si j'avais seulement assez d'esprit pour sortir de ce bois, j'en aurais assez pour l'usage que j'en veux faire.

TITANIA. – Ah ! Ne désire pas de sortir de ce bois. Tu resteras ici, que tu le veuilles ou non. Je suis un esprit d'un rang élevé ; l'été règne toujours sur mon empire ; et moi, je t'adore. Viens donc avec moi, je te donnerai des fées pour te servir ; elles iront te chercher mille joyaux dans l'abîme ; elles chanteront tandis que tu dormiras sur un lit de fleurs ; et je saurai si bien épurer les éléments grossiers de ton corps mortel que tu voleras comme un esprit aérien.

Suzanne en a les yeux mouillés.

« Ah, Lise, si tu m'avais dit tout cela avec un accent espagnol, je t'aurais épousée sur-le-champ !

— Et je crois que je t'aurais dit oui ! répond Lise, en riant.

— Vous ai-je donc menti ? Vous voyez que la poésie peut guérir la peur !

— Oui, mais ce n'est tout de même pas gai. Y a personne qui viendra.

— C'est un des auteurs les plus joués dans le monde, depuis plusieurs siècles ! la détrompe Eva.

— Faut vraiment être anglais pour aimer cela ! Vu ce qu'ils mangent, qu'il paraît que c'est du bouilli du matin au soir, ils doivent être habitués à avoir le cafard. Rien qu'à entendre ça, moi je me sens anémiée. Il faudrait que je mange un poulet ! Ça ne marchera pas ce cabaret. Nous, en France, on paie pour entendre que tout va bien et qu'on est heureux, pas pour se farcir qu'on va mourir malheureux dans une forêt à côté d'un âne.

— Suzanne n'a pas tort. Il faudrait jouer une histoire plus proche de nous, une histoire de femme.

— Oui, et elle serait belle, continue Suzanne.

— Elle aimerait passionnément un homme qui n'est pas du même monde qu'elle, renchérit Lise.

— Et elle serait rejetée !

— Bannie, parce qu'elle se serait laissée aller au plaisir.

— Une pauvre fille, quoi ! dit Suzanne, prenant soin de préciser : Mais il faudrait que cela soit gai.

— Vous vous plaignez d'avoir le vertige quand on veut vous élever un peu parmi les belles idées ! On ne va tout de même pas jouer la *Traviata* ! dit Eva sur un ton irrité.

— C'est pas un plat en sauce, ça ? demande Suzanne la gourmande.

— Pas vraiment. C'est l'histoire d'une femme, seule à Paris, reniée par la bonne société.

— Cela pourrait nous ressembler, remarque Lise.

— Car elle n'est pas mariée et n'a pas d'enfant, ajoute Eva.

— Là tu chauffes plus, tu brûles ! s'exclame Suzanne.

— Que veut dire *Traviata* ?

— La femme égarée.

— C'est nous ! crie Suzanne triomphale, comme si elle venait de démontrer la loi de la gravitation universelle.

— Elle s'appelle Violetta, et un certain Alfredo tente de la séduire », poursuit Eva qui se met au piano.

Elle commence à chanter, tandis que Lise, n'en pouvant plus de curiosité, finit par lâcher : « Et que lui dit-il pour la persuader ? »

ALFREDO

Buvons joyeusement dans ce verre
resplendissant de beauté
et que l'heure passagère
s'enivre de volupté.
Buvons dans les doux frémissements
que l'amour éveille
car ces beaux yeux
nous transpercent le cœur.
Buvons, car le vin
réchauffera les baisers de l'amour.

« Et ça marche ? s'inquiète Lise.

— À toi de juger », répond Eva, qui reprend :

VIOLETTA

Je veux partager
ma joie avec vous tous ;
tout dans la vie est folie
sauf le plaisir.
Réjouissons-nous,
l'amour est rapide et fugitif.
C'est une fleur qui naît et meurt,
et dont on ne peut toujours jouir.
Réjouissons-nous puisqu'une voix charmante,
fervente, nous y invite.

« Que se passe-t-il après ? »

Lise voudrait lire sur les lèvres d'Eva avant qu'elle ne se décide à parler.

« Elle l'invite à danser.

— Alors ça, c'est romantique, ou je ne m'y connais pas, dit Suzanne, plus docte que jamais.

— C'est d'accord, je jouerai Violetta », conclut Lise, les joues rosies, un peu gênée.

6

Courrier exceptionnel soumis à autorisation spéciale
Remettre au matricule 122565
Îlot G, baraque 25
Approuvé par le commandant Davergne

La jeune sentinelle fait irruption comme un courant d'air par la porte de la baraque où les filles du Cabaret bleu enrubannées de papier répètent devant les arbres peints. Ses yeux cherchent la destinataire, qu'il appelle par son numéro de matricule, 122565. Impossible au premier coup d'œil de savoir laquelle répond à cette suite de chiffres, les quatre femmes sont abasourdies. Une lettre ! Depuis plus d'un mois maintenant, aucune n'a pu en recevoir. Cet objet d'un coup leur apparaît doté du pouvoir extraordinaire de réunir les êtres par la pensée. Elles mesurent aujourd'hui à quel point elles en ont été privées. À Gurs, il n'y a pas à manger, mais il y a des crayons et du papier. Écrire une lettre, c'est faire naître sur une page blanche le désir de son destinataire, laisser venir le souvenir des instants partagés, la prémonition des instants espérés. Perdre le contrôle et la peur, faire éclater des sentiments qu'elles jugeaient désuets, voire ridicules, passée l'écriture, si elles les relisaient, honteuses d'un tel épanchement.

Dès son arrivée au camp, chacune s'était ainsi trouvé un destinataire secret vers lequel se tourner. C'était là le seul moyen d'empêcher ce qu'elles craignaient le plus, être emportées par la faim, la maladie ou la guerre sans avoir pu écrire à un être cher : « J'ai toujours voulu te dire que… » Aucune ne pouvait se payer le luxe d'avoir un quant-à-soi ; les inavoués d'aujourd'hui seraient ici devenus les éternels regrets de demain. Et comme aucune ne recevait de réponse, elles s'en donnaient à cœur joie, vidaient sans vergogne tout ce qu'il y avait à presser. Puisque personne ne lisait, personne ne pourrait les contredire ni les juger. Beaucoup gardaient leurs lettres pour elles, les déchiraient et faisaient voler en l'air leurs morceaux griffonnés comme de petits oiseaux de papier qui emportaient dans le vent un peu d'elles-mêmes, d'autres les donnaient aux Français comme on confie une bouteille à la mer.

« Matricule 122565 », répète-t-il encore.

« Tant que je respire, j'ai encore un nom. Je m'appelle Eva Platz », répond-elle d'une voix si douce qu'elle fait tressaillir le garde. Elle se saisit de la petite enveloppe, pas plus grande que sa main, sur laquelle sont apposés de si nombreux tampons qu'on ne distingue l'écriture indiquant la destinataire qu'entre ces marques d'encre. Elle porte la mention « Par avion », ce qui fait forte impression au petit groupe réuni autour de l'objet.

« Ça doit venir de drôlement haut placé pour être arrivé jusqu'ici, commente Suzanne. Regardez, c'est écrit en fritz. »

La lettre venait de Munich, mais avait transité par Berlin. Eva a en un instant reconnu le tracé, la courbure naïve des voyelles, la rectitude entêtée des consonnes. Son index se glisse sous le rebord qui scelle la lettre.

Meine liebe Tochter,

Nous avons appris avec beaucoup de tristesse ton arrestation et ta détention dans un camp de prisonniers français. Nos troupes prendront fort heureusement bientôt possession du pays et les prisonniers allemands seront rapatriés. J'ai essayé de hâter ta libération auprès de mes amis de Berlin, hélas, ils m'informent que tu es à présent recensée comme une opposante politique du Reich, à cause de tes « relations ». Il revient à chacun de répondre de ses actes et de ses opinions, ainsi seulement une nation peut-elle se purger de ses éléments indésirables et enfin se redresser. Mais tu restes ma fille. J'ai tenté en vain de plaider ta cause, expliquant que ton jeune esprit avait été gagné par l'idéologie des Français le temps de ton exil, et que nous étions prêts à t'accueillir ta mère et moi. Elle a sa propre loge au Bayerische Staatsoper. Maintenant, tu sais, c'est un grand privilège. J'ai appris que seules les femmes sans enfant se trouvaient dans ta situation. Il y a quatorze ans de cela, un événement tragique s'est déroulé. Sache que tout ce que j'ai fait, je l'ai fait pour ton bien, pour te soulager de conséquences tout à fait honteuses pour une jeune fille. Lorsque le docteur Kopfster est intervenu, l'enfant était encore en vie. La poche de liquide amniotique s'était rompue, mais il respirait quand il l'a sorti. Nous avons jugé, le docteur Kopfster et moi, que le mieux pour cet enfant était d'être élevé dans l'ignorance de son origine, abâtardie par son ascendance israélite. Nous l'avons confié à une famille d'honnêtes Bavarois qui partagent nos convictions. Dans l'air pur et vertueux de nos montagnes, il est devenu un beau jeune homme. Il y reçoit une excellente éducation. Mais puisque être mère pourrait sauver la vie de mon unique fille, alors tu dois en être informée. Tu es la mère d'un garçon nommé Helmut. Voici l'adresse que tu pourras communiquer pour faire valoir ton droit. Herta Freund Nibelungenstrasse, 12 Munchen. Celui qui reste, quoi que tu puisses penser,

Ton Papa.

Eva laisse tomber la lettre. Ses doigts cessent simplement d'être de ce monde. Les tempes battant à tout rompre, elle perd conscience. Seules ses jambes, encore animées, courent sur le sol argileux qui forme une croûte dure à la surface, humide au-dessous, si bien que tout se dérobe sous ses pieds. Elle rejoint la route goudronnée, jusqu'à l'autre extrémité du camp. Là où le grillage s'arrête. Qu'y a-t-il de l'autre côté ? Si elle court assez vite, pourrait-elle passer au travers comme par magie, tout oublier de cet enfer où viennent la retrouver ceux qu'elle a fuis ?

La cicatrice lui mord le ventre, comme le rappel à l'ordre d'un ancien péché. Sa chair... Le fils de sa chair, quelle joie cela aurait pu être d'être

mère, si elle n'était pas enfermée dans une forte-
resse de tristesse. L'enfant qui en naissant avait
labouré ses entrailles désormais infertiles est en
vie, mais il est probablement l'un d'eux, recevant
avec bonheur l'amour d'une famille nazie. Elle
avait donné la vie, une vie, mais était-ce *sa* vie ?
À qui appartient le blé, à la graine, au champ, à
celui qui le récolte ? Elle pourrait aller chercher
son enfant, elle l'élèverait avec Louis, ils partiraient en Amérique, ils défendraient les droits
de l'homme là-bas, contre le fascisme qui dicte,
ordonne, classe et détruit ce qui dépasse. Mais
comment révéler à cet enfant le mensonge de
ses origines sans le détruire ? Comment lui dire :
tu es le fruit de ce que l'on t'a élevé à penser
comme étant la lie de l'humanité ? Et si Louis
n'était finalement plus de ce monde, elle resterait
seule avec cette créature étrangère. Reconnaître
cet enfant, cela voulait dire le condamner. Ne
pas le reconnaître, se condamner elle-même.
Ses jambes ploient, elle s'allonge sur le bitume
brûlant de ce dernier jour avant l'été. Elle sent
un peu de sang couler le long de son cou, une
étrange chaleur l'envahir et ses yeux se perdent
dans le bleu des Pyrénées.

Lise a ramassé la lettre. Elle subtilise le papier
aux curieuses et le place sous sa paillasse. Elle
ne lui en parlera pas. Eva est son amie, elle
porte sa fierté avec l'élégance d'une grande musi-
cienne, elle n'a guère besoin de pitié. Mais elle
comprend mieux à présent l'impression qu'elle a
toujours ressentie à son côté, la part manquante,
l'ombre d'un absent qui la suit partout et se
dessine en creux. Eva traîne son absent comme

chaque corps traîne son ombre. Et même sous le soleil de midi, elle marche sur la pointe des pieds, prenant soin, à chaque pas, de ne pas l'écraser. Enfin ce sentiment a une matérialité, une adresse, un nom.

La chaleur est insupportable, aucun vent ne passe dans la cuvette de la plaine. Les femmes mettent leurs matelas dehors, par terre, et restent couchées. Pas un arbre, pas un brin d'herbe, mais des myriades de mouches qui viennent harasser ces femmes en caraco qui jouent aux cartes ou apprennent l'anglais, naufragées sur une île du bout du monde. Ainsi va la vie des femmes : des joies fragiles au milieu d'immenses tourments.

7

Enfin, le 21 juin, l'apothéose du printemps, le commencement magnifique de l'été. La France s'apprête à célébrer le jour le plus interminable de l'année. Pour l'ouverture du Cabaret bleu, Suzanne s'est mis tous les bigoudis possibles sur les cheveux, si bien qu'il n'y a pas un centimètre de sa tête qui ne soit tiré par un rouleau. Quand il la verra ainsi coiffée, quand il aura entendu la chanson qu'elle lui a préparée, Pedro, c'est sûr, voudra la marier. Lise avait songé à Ernesto, éprouvé de la concupiscence, puis s'en était voulu et avait dirigé ses pensées vers Eva, qui a veillé en pensant à Helmut, qu'elle ne connaît pas. Que sait-il de cette fille-mère indigne ? Eva n'avait jamais éprouvé la sensation qu'un lien fort et secret l'unissait à sa mère. Elle aurait pu l'appeler Frau Platz, comme une des gouvernantes, cela n'aurait pas été si différent que de l'appeler maman. Sa mère n'avait rien partagé de ses élans ni de ses turpitudes d'enfant, n'avait jamais chassé les monstres de sous son lit, ni veillé avec elle les soirs de fièvre. Lorsque sa cicatrice tire, Eva se demande si Helmut ressent lui aussi une partie de son être se tendre, l'appeler. Son nombril est-il ressorti ou rentré ?

Tout dans la baraque 25 bruisse, avant que l'eau marron qui tient lieu de café soit apportée. Suzanne s'inquiète de sa tenue.

« Sylta, tu pourrais froncer ma chemise à la taille ? Je voudrais avoir l'air mince. Oh, il connaît ce qu'il y a dessous, mais à côté des deux épingles à nourrice, là, je voudrais pas qu'il regrette son choix. »

Mais Sylta ne répond pas.

« T'as donné ta langue à Staline ? »

Elle donne de petits coups de pied dans sa paillasse, mais Sylta ne bouge pas. Elle a la bouche ouverte, les lèvres blanches striées de violet, la peau au-dessus a séché comme une terre appelant l'eau. Ses narines sont pincées, cherchant un air impossible à trouver, sa poitrine se lève dans un râle qui sonne comme un glas. Suzanne appelle au secours ses deux meneuses de revue. Sylta est brûlante. En tendant l'oreille, on peut voir sa bouche répéter sans cesse : « L'ivresse du monde est mortelle, Et nous sommes prises, vous et moi, chères amies, dans son tourbillon. Alors autant danser. » À trois, elles la soulèvent de terre pour la porter jusqu'à l'infirmerie. Lise tient la tête, Eva son corps, Suzanne a pris les jambes comme les bras d'une brouette et ouvre la marche. Elles avancent jusqu'à une baraque qui diffère à peine des autres. Ses fenêtres ne sont pas fermées par des clapets mais sont protégées par une sorte de grillage, il y a des robinets et des toilettes pourvues d'une chasse d'eau. On a peint une croix rouge sur les quatre

214

murs extérieurs qui cachent un décor vide. On a décrété que ce serait l'infirmerie. Il n'y a pas de lits, pas de chaises, pas de bassins. Dix paillasses et du linge à même le sol, et une quarantaine d'incontinentes à l'agonie. L'odeur, pestilentielle, a quelque chose qui n'est plus tout à fait humain. Une vision d'horreur qu'elles n'imaginaient pas.

Un docteur français à l'accent méridional accompagné d'un confrère allemand l'accueille.

« Posez-la ici, annonce le premier, leur tendant une alèse en caoutchouc et des pansements. C'est tout ce que nous avons, il faudra faire avec. »

Le médecin allemand commence à examiner Sylta, et, lui demandant son âge, se voit répondre : « Ivresse. Monde. Mortelle. Tourbillon. Danser. » Il lui prescrit du bismuth, du charbon et de la tannalbine, mais de ces trois médicaments il n'y en a qu'un. Le médecin français donne son diagnostic, une petite entérite, rien de grave, une inoffensive diarrhée d'été.

« Tenez, prenez un peu de créosote, de l'eau de Javel et frottez tout ce que vous pouvez. »

L'Allemand ne sait plus où donner de la tête, il va d'un drap à un autre, tous tachés de sang. Puis il revient poser sur Sylta un œil sombre. Eva l'interroge, sitôt que le docteur Dadin a les talons tournés. La dysenterie. Une épidémie soudaine ravage le camp, il y a en quelques heures trois cents femmes atteintes, et déjà plus de mille hommes, de l'autre côté des barbelés.

« Désinfectez votre baraque de fond en comble, ne touchez à rien ici », leur ordonne-t-il avant de repartir porter assistance aux malades.

Le docteur Hermann vient de Cologne. Il s'est engagé au sein des Brigades internationales, et à ce titre, est donc prisonnier. Il s'est porté volontaire pour soigner les malades de toutes nationalités au sein du camp. Lorsque tant de gens vivent en cercle clos, repliés sur eux-mêmes, soigner devient un sacerdoce. Chaque mort emporte un peu l'espoir des autres dans la tombe. Le serment d'Hippocrate qu'il a prononcé à la fin de ses études est à ses yeux plus grand que les guerres, les origines ou la vanité. Il est secondé par quatre infirmières qui n'ont pas un instant de repos. Jamais les bassins ni les bidets ne cessent de se remplir. Il faut vider, nettoyer, désinfecter, recommencer.

L'une d'elles s'appelle Elsbeth, une Suissesse engagée volontaire. Elle a sur le visage, malgré les circonstances, la douceur d'un ange. Elle rassure chaque femme d'un « Vous serez bientôt sur pied », distribuant des fortifiants vitaminés soutirés au Secours suisse. Chaque matin, elle parcourt à pied les deux kilomètres jusqu'à l'administration du camp pour récupérer les paquets et réclamer ce dont elle a besoin comme médicaments ou matériels pour tenir la journée. Elle en obtient à peine la moitié, mais reçoit de bonne grâce de nombreux encouragements. Ne supportant plus de voir ces pauvresses grelottant sous l'eau froide, elle a fait un trou dans la terre à l'entrée de la baraque, qu'elle a entouré de pierres et surmonté d'une plaque de métal. Elle a réussi à troquer contre du chocolat une grosse marmite de campagne et s'évertue à faire du feu, pour chauffer cette eau si précieuse. Un matin, elle a vu par la fenêtre des Espagnols déposer devant sa porte un petit réchaud à alcool dégoté on ne sait où, et lui faire signe de garder silence.

Elle humidifie le visage de Sylta qui la gratifie d'une pauvre grimace, les yeux fermés. Les mouches, comme attirées par son visage cireux, s'arrêtent sur ses paupières creusées et viennent se désaltérer des quelques gouttes de sueur qui s'y trouvent encore. Elsbeth n'a aucune raison d'être là, rien ne l'y oblige, elle ne porte aucune protection contre la contamination de la maladie. Elle entrouvre la bouche de Sylta et y fait couler quelques gouttes d'eau de riz. Après la troisième cuillerée, la malade vomit avant de retomber dans une apathie totale.

« Ne vous en faites pas, je vais lui donner une solution à base de sel et de camphre, cela devrait la remonter. Je sais qu'aujourd'hui est un grand jour pour vous, pour nous toutes. J'ai acheté mon billet. Je veillerai sur elle, ne restez pas ici, allez vous préparer », dit-elle avec bienveillance aux amies décomposées, tout en se saisissant, avec le plus grand naturel du monde, d'un morceau de gaze. Elle confectionne en quelques gestes une moustiquaire improvisée qu'elle pose sur le visage de Sylta pour la protéger des mouches. Sylta, la tête renversée, recouverte de son auréole de gaze, a l'air de la sainte Thérèse sculptée dans le marbre par le Bernin, et laisse s'écouler un filet de voix. « Monde. Mortelle. Danse. »

Les deux amies marchent le plus vite possible comme pour semer les miasmes des moribondes,

pourchassées par la vision de ces visages de sup-
pliciées.

« Tu penses que nous oublierons un jour tout
cela ? » Lise a perdu huit kilos et commence à
ressembler à une libellule. Tout en nervures et
transparence, elle bat des ailes en vol statique.
Sur son visage, seules les pommettes ressortent,
au-dessous de ses yeux bleus, immenses, traver-
sés par les horreurs qu'ils viennent de voir et les
questions qu'elles soulèvent.

« Crois-tu qu'il y ait une rémission possible ? »

Peu importent ses propres tourments, Eva
devait être la plus forte des deux, puisque le
besoin de consolation de Lise est aussi grand que
ses yeux. Mais elle ne savait pas si l'oubli leur
serait un jour permis et ne pouvait lui mentir.

« J'ai peur de ne plus jamais pouvoir sentir
quoi que ce soit d'autre que cette odeur, halète
Lise, de ne plus pouvoir respirer le parfum d'une
fleur sans avoir l'impression d'une injustice, le
parfum d'une femme sans y voir une douceur
ridicule et absurde. Personne ne devrait jamais
sentir cela, jamais, jamais !

— Je te promets de ne plus jamais me parfu-
mer, tente-t-elle de l'apaiser.

— Moi je crains qu'il n'y ait un seuil de
tolérance, passé lequel, si l'on a séjourné trop
longtemps sur les mers de la puanteur, on ne
regagne plus jamais vraiment la rive des vivants,
celle sur laquelle les choses sentent bon. Même
si nous sortons d'ici, il n'y aura plus de paradis
pour nous. Comment pourrais-je un jour avoir
un enfant et lui sourire sans que cela soit un

mensonge ! Donner la vie, pour voir ce que les hommes en font, à quoi cela sert-il ?

— Moi aussi je tremble si fort à l'intérieur que je me demande comment je tiens encore debout. Peut-être que nous n'oublierons pas, mais nous serons guéries du désespoir. Et tu auras des enfants. Ils ne connaîtront pas la guerre, ils se parfumeront, et tu trouveras cela délicieux.

— Comment le sais-tu ? »

Sa voix s'est étranglée sur la question, comme si de la réponse dépendait la survie de son être.

« Parce qu'il y a Rome.

— Comment ?

— Parce qu'il est sur terre une Ville, que tous ont conquise, que personne n'a pu détruire. Sais-tu pourquoi ? Parce que même ses ennemis la trouvaient trop belle. On y marche sur des ruines de tous les âges, mais on ne voit que le jaune, l'ocre, l'orange de ses villas, la hauteur de ses pins, la rondeur de ses orangers, et la joie des Latins. Dès que je sortirai d'ici, je retrouverai Louis, et nous irons à Rome. Rome est éternelle, tu comprends ? Aucune douleur, aucun royaume, aucun Reich ne l'est, dussent-ils durer mille ans. »

Aux mots d'Eva, les ailes de la libellule se posent, et les yeux infinis de Lise ravalent leurs larmes.

« Toi aussi tu viendras, avec Ernesto, nous mangerons des glaces sur la place Navone, tu goûteras tous les parfums. Chaque pin, chaque maison craquelée par le soleil aura une odeur différente qui recouvrira celle de l'infirmerie. Et quand tu sentiras ces nouvelles odeurs, rien ne sera oublié, mais tout sera sauvé. Maintenant, tu vas aller t'habiller, nous allons danser, et chanter, puisque le monde est mortel, comme l'a dit Sylta.

— Oh tu sais, les Russes, il ne faut pas trop les écouter », sourit Lise lorsqu'elles arrivent à la porte de la baraque 25.

Et ainsi Eva sut qu'elle était une bonne mère, et qu'elle avait fait le bon choix.

8

Enfin a lieu cette revue qui mettait en ébullition les cervelles de la région depuis deux jours que le bruit s'en était répandu. Vingt voitures stationnent devant l'entrée du camp, trois couples endimanchés attendent encore devant la barrière que les sentinelles veuillent bien les laisser entrer. « On est complet », répondent ceux-ci, la mine perdue, peu habitués à devoir empêcher des gens de pénétrer dans le camp plutôt qu'en sortir. Les proportions réduites de la baraque du Cabaret bleu n'ont guère permis de faire de nombreuses invitations, et cela a suffi à déclencher dans la vallée une vague d'intérêt. C'était à qui en obtiendrait une. Chaque colonel, chaque chef de garnison que le pays compte est présent, accompagné de son épouse en grande toilette, trop contente de regarder de haut les femmes de pharmaciens, de médecins, de notaires que l'on ne voyait plus sortir de chez elles depuis le début des hostilités. L'un des gardes se prend à penser que si l'on faisait payer le billet au poids, on en aurait pour un rude sou et l'on deviendrait riche avec un banc seulement.

Le commandant Davergne salue chaque personne venue de l'extérieur, tente de faire installer les Français sur les bancs situés à l'avant, près de la petite scène. Mais bientôt, des Espagnols des Brigades internationales, qui ont acheté leur billet, se mêlent aux nouveaux arrivants. C'est un fouillis de deux cent cinquante personnes entassées de la manière la plus originale qui soit. Les costumes noirs et les montres à gousset côtoient les haillons les plus crasseux. Les Rouges donnent des coups de coude aux notables et leur demandent des cigarettes. Avant même la représentation, le spectacle dans la salle est déjà bien singulier. Un Hongrois entreprend une Béarnaise bien en chair, dont le mari, avec son béret enfoncé jusqu'aux oreilles, parle mécanique avec un Espagnol, qui propose d'arranger le moteur de sa Citroën contre deux poulets.

Sylta n'a pu se lever. Risquant de contaminer l'ensemble des occupants, toutes les pestiférées de la bonne infirmière Elsbeth sont consignées ce soir. Un garde est planté comme un i fatigué devant la croix rouge peinte sur le mur. Avant de se rendre au cabaret, Elsbeth a pris soin d'envelopper la mourante dans deux couvertures, une de la tête à la taille, l'autre la couvrant jusqu'à ses pieds, on dirait un nouveau-né emmailloté.

Derrière le drap, Eva, instigatrice malicieuse de ce carnaval, regarde ces deux mondes s'entrechoquer, l'un prisonnier, l'autre libre, mais pour combien de temps encore ? C'est à elle qu'il revient de prononcer les premiers mots :

« Mesdames et messieurs, à notre fête soyez bienvenus, soyez les premiers à applaudir notre

Cabaret bleu ! Et pardonnez-nous si notre accent et nos paroles hésitantes trahissent l'étrangère, si notre envie d'offrir a prévalu sur nos moyens, lesquels, parlons franchement, sont bien restreints ! Mais l'habit ne fait pas la prisonnière, et vous verrez ce soir tout ce que Paris aurait à vous offrir ! Prenez place, buvez à notre coupe imaginaire et partagez notre plaisir bien réel ! La joie, la consolatrice qui tout efface de nos souffrances, soulage, réconforte, donne du courage, fleurit même ici, dans les cœurs les plus meurtris ! »

Sur la petite scène de bois, Suzanne aux cheveux roux, en chemise et la taille ceinte, émerge des arbres dessinés sur le drap fendu en deux, et apparaît sur la scène.

> Voici l'heure où le lion affamé rugit,
> Où le loup hurle à la lune,
> Tandis que le lourd laboureur ronfle
> Épuisé de sa pénible tâche.
> Maintenant les tisons consumés brillent
>   dans le foyer ;
> La chouette, poussant son cri sinistre,
> Rappelle aux malheureux, couchés dans les
>   douleurs,
> Le souvenir d'un drap funèbre.
> Voici le temps de la nuit,
> Où les tombeaux, tous entr'ouverts,
> Laissent échapper chacun son spectre,
> Qui va errer dans les sentiers des
>   cimetières.
> Et nous, fées, qui voltigeons
> Près du char de la triple Hécate,

Fuyant la présence du soleil,
Et suivant l'ombre comme un songe,
Nous gambadons maintenant. Pas une
  souris
Ne troublera cette maison sacrée.
Je suis envoyé devant, avec un balai,
Pour balayer la poussière derrière la porte.

Par cette incantation que Suzanne a réussi à mémoriser, le Cabaret bleu est inauguré. Ernesto se tient devant sur la droite, Pedro, au milieu, ne perd pas une miette de la scène, Eva est à son piano et se met à jouer façon cancan, le symbole même de Paris. Aucun programme n'a pu être imprimé ni distribué faute de moyens, mais Eva a tenu à respecter un ordre précis dans l'enchaînement des divertissements. D'abord les chansons pour amuser, puis *Le Songe d'une nuit d'été*, pour enchanter les âmes. Suzanne donne trois coups de sabot au sol, qui font trembler les murs, et jusqu'à l'extérieur, où des centaines de prisonniers se massent aux fenêtres de leurs baraques.

Le premier tableau est un trio qui présente les trois voix de la soirée. Eva joue et chante, Lise, au milieu, donne de la voix, Suzanne, à droite, chante en dansant, les cuisses montées sur ressort.

Liberté, tu nous as trahies
Barbelé, tu nous retiens
Au Gurs, comme des chiens
Nous réfugiées, du monde entier.

Sans patrie, sans destin,
Il y a bien un cœur sous ce sein
Qui compte les lunaisons
Dans cette immense prison

Nous n'avons pas commis de crime
De simples ménagères
Nous sommes devenues suspectes
Pourtant toujours correctes
C'est ça d'être étrangère !

Et comme vous nous voyez
Toutes les langues nous parlons
N'est-ce pas assez pour s'entendre
Et ainsi vivre en paix ?

Sous la loi du St Fil Barbelé
On se régale d'un bout de pain
On s'essuie avec ses mains
On dresse des rats et des souris

Les grands cirques mondiaux
À genoux nous demanderont
Nous voilà libérées...
De la crainte du chômage !

L'accueil du public est pour le moins mitigé.
Le commandant Davergne, qui a mis un point
d'honneur à laisser les prisonnières s'exprimer
sans les censurer, sue à grosses gouttes sous son
uniforme. Si les Français refusent de s'émouvoir
de leur sort, Eva sait qu'une chose les déridera,
la haine du boche. Elle fait un signal de la main
et lance le solo de Suzanne la goulue, qui prend
soudain une voix d'accordéon pour une chanson
de sa création, *Kiki le nazi* :

À Montparnasse il y a Kiki,
Une vraie garçonne, reine de la nuit,
De tous les peintres l'égérie
Et chaque soir elle danse nue,
Pour pas bien cher on lui voit le...

Mais Paris a bien changé
Depuis qu'la guerre on a perdu,
On a un nouvel arrivé !

C'est Kiki le nazi,
Dans la tempête et les cris,
Avec le Reich et ses amis !

On les déteste on les vomit,
Mais chaque soir
on lui sert à boire,
Au bal des vendus, des pourris
Où danse Kiki le nazi

On l'croirait grand ce mercenaire
Qui s'envoie toute notre bière,
Mais il est tout riquiqui
Kiki le nazi

C'est pour ça qu'il est terrifié
Par ceux qui ont un grand nez,
ils pourraient le renifler
Les affreux, les métisses, les Schlomo,
Il a très peur de leurs naseaux,
Kiki le riquiqui nazi

On peut pas l'voir en peinture
Ni entendre son terrible accent
Mais au dancing on lui sourit
Avec toutes ses dents,
On l'appelle Monsieur, cet officier allemand

C'est Kiki le nazi
La nouvelle reine de la nuit
Avec ses bottes et son képi
À Montparnasse il se prélasse
Au Lutetia, la vie de Palace

Des militaires aux commerçants, c'est tout juste si l'on ne s'étouffe pas de rire. La vivacité de ce petit brin de femme a allumé la flamme du cabaret. Les applaudissements crépitent. Lise la rejoint sur scène, et sa beauté ramène le calme par sa simple apparition. Toutes deux interprètent une chanson de leur invention, *Le Jazz du vase de nuit* :

Y en a qui ont des bijoux
Des montres en or qui valent des sous
Moi j'ai sous ma paillasse un vrai trésor,
Il m'a servi de jardinière,
De cafetière, de lavandière,
De pissotière, de braisière,
De daubière, de cuillère,
De crémaillère, de glacière,
Tout ça en même temps,
Vous trouvez cela épatant ?
C'est mon vase de nuit !
Pourvu qu'il ne me serve pas de cimetière !

La salle est électrisée, gagnée à la cause des prisonnières de mai, si bien que les épouses voient d'un mauvais œil le regard baladeur que les hommes posent sur la scène. Si Suzanne lève un peu plus ses jupes, on peut craindre une mutinerie. Shakespeare vient apaiser les esprits.

Lise fait une Hermia troublante de vérité, dont l'apparente fragilité n'a d'égale que la force de caractère, la détermination à vivre, pour une nuit, une saison, l'amour, qui a emporté sa raison. Elle est le printemps, tout en elle reste à éclore, à se libérer de l'épaisse peau des bourgeons pour révéler sa couleur au soleil naissant. Eva, au piano, joue *Les Quatre Saisons,* chacune en est une image. Suzanne est l'été, ses fruits mûrs, tout en elle est rires, boucles et frétillements. Eva est l'automne, qui étire sur le tard les belles journées, mais regrette déjà le passé qui a emporté avec lui les odeurs et les fruits. Dagmara est l'hiver, l'arbre aux feuilles tombées, elle inspire le repos des sens. Sur le devant de la scène, elle tape du pied la mesure, deux, trois, quatre battements, le timbre de son violon va de l'aigu du gai pinson au grave brame du cerf aux derniers jours de l'hiver. Chacune tour à tour s'avance sur scène. Hélas, soudain, sur le devant de l'estrade, Lise oublie les mots de Shakespeare. Elle a beau chercher dans les recoins de sa mémoire, impossible de se souvenir de ce qu'elle doit répondre à Lysandre. Elle reste là face à Suzanne durant de longues secondes. Les fourmis commencent à remonter le long de ses mains, gagnent son bras et colonisent tout son corps. Elle parcourt la salle du regard, tétanisée par les regards. C'est la première fois qu'elle bénéficie d'autant d'attention, et cela lui déplaît. Les yeux d'Ernesto, heureusement, sont là. Ils rendent forme humaine à la foule. Soudain, tout lui revient. Ce ne sont pas les mots de Shakespeare, mais ceux de sa mère.

Elle comprend à présent chaque syllabe, habitée d'un sens nouveau. Elle gonfle sa poitrine étroite et laisse son âme porter les mots sacrés.

Oh ! Que n'es-tu mon frère ? Que n'as-tu sucé le lait de ma mère ? Alors, en te rencontrant dehors, je pourrais t'embrasser, sans que pour cela on me méprise.

Je t'emmènerais, je te conduirais dans la maison de ma mère ; là tu m'instruirais, et je te ferais boire le vin parfumé, le jus de mes grenades.

Son bras gauche soutient ma tête et sa droite me tient enlacée.

Je vous conjure, filles de Jérusalem, n'éveillez pas, ne provoquez pas l'amour avant qu'il le veuille.

Eva caresse au piano les dernières notes de la soirée. On crie, on en demande encore, cela ne ressemble à rien de ce que l'on a déjà vu dans sa vie. Enfin le moment du grand final, les quatre saisons faites femmes se donnent la main pour saluer le public et refermer la page de cette folie dans un camp français :

Si nous, légers fantômes, nous avons déplu,
Figurez-vous seulement
Que vous avez fait ici un court sommeil,
Tandis que ces visions erraient autour de
    vous.
Seigneurs, ne blâmez point
Ce faible et vain sujet,
Et ne le prenez que pour un songe.
Ainsi, bonne nuit à tous.

Vingt-deux heures sonnent, l'extinction des feux. On y applaudit encore dans le noir, les pieds humides et les rhumatismes oubliés. La lumière s'éteint dans la baraque de l'infirmerie. Mais Sylta garde les yeux ouverts, plantés dans le plafond. Elle lutte pour ne pas même cligner un instant. Si elle les clôt rien qu'une seconde, la chair se refermera sur elle et le noir l'avalera, elle n'aura plus la force de lutter pour les ouvrir. Ses poumons sont prisonniers d'une cage trop étroite qui refuse de laisser entrer l'air. Allongée, ombre immobile au-dessus du sol, une simple chose. Elle réussit à tenir le siège jusqu'à ce que les applaudissements finissent au loin de retentir. Le souffle de vie s'en va loin d'elle. Elsbeth, de retour auprès de sa patiente, ne peut que la trouver là, les yeux grands ouverts. Elle avait gagné le bras de fer entamé six décennies plus tôt, regarder la vie, la guerre, la mort toujours en face. Elsbeth revient en courant au Cabaret bleu, elle ne peut prévenir le commandant sous peine de provoquer une panique générale et de faire fuir les invités. Les Espagnols sauront quoi faire.

Lise salue son public tout en fixant Ernesto, qui lui fait signe de l'attendre derrière le rideau de la forêt imaginaire. Tant qu'elle ne sait pas, l'injustice du sort l'abîmera un peu moins. Ernesto suit Elsbeth jusqu'à la pauvre créature. Il s'approche de Sylta, ramasse un bout de verre d'une vitre brisée qu'il place sous ses narines. Aucune buée n'apparaît. Il appelle Pedro, et ensemble ils la démaillotent lentement, comme pour ne pas réveiller l'enfant dans ses langes. Ils mettent une couverture au sol, l'allongent au milieu, la couvrent en une seconde de la tête aux pieds, prennent les quatre encoignures qui dépassent, et commencent à la traîner, comme deux chevaux tirant le char sans roues de leur maître. Ils avancent sur la route centrale, laissant derrière eux la trace d'un corps balayé dans la poussière. Sylta traverse le camp emportée par une *troika* d'Espagnols. Ainsi la lampe doit pâlir pour qu'éblouisse l'aurore. Que vive le soleil, que meure la nuit !

9

Au matin du 22 juin, le vent a dispersé la poussière. Le jour se réveille. Lise est étendue, dans la robe de mariée confectionnée par Sylta, qu'elle n'a pas eu le courage d'enlever. Ernesto ne l'a pas rejointe comme il l'avait promis. Elle est sortie de la baraque du Cabaret bleu et, sur l'allée centrale, éclairée par la lune, elle a aperçu une chaussure. Une botte courte, de cuir foncé, aux motifs arrondis rouges brodés. Maintenant, sa conscience est éveillée. Elle se souvient de cette *Koti* russe qui grinçait à chaque pas, à cause de la lamelle d'écorce de bouleau placée dans la semelle, mais elle doit voir. La dysenterie fait quatre victimes par jour. Leur îlot la protège de certaines réalités, mais une question à présent la hante. Que fait-on des corps ?

Elle se lève en silence et sort de la baraque avant l'heure autorisée, profitant de son laissez-passer. Le camp lui semble infini, jamais elle n'aura la force de le parcourir à pied ! Tout au bout, derrière l'îlot des représailles, il y a un espace immense caché par un muret, d'où l'on ne voit aucun toit dépasser. La terre y est à plusieurs endroits retournée, formant de petits monticules. Un homme est penché sur une pelle. De loin, on pourrait croire qu'il cultive la terre. Lise comprend qu'elle vient de pénétrer dans le cimetière de Gurs.

Des centaines de tumulus terreux s'alignent sous ses pieds. Rien ne dépasse, il n'y a rien à voir, l'horreur est dissimulée. L'homme, de dos, hâte son geste pour finir son labeur avant l'heure de la toilette, s'arrête puis se raidit, se retourne enfin. C'est lui ! Pour la première fois depuis leur rencontre, Ernesto a honte de lui. Il s'était déclaré volontaire pour être le fossoyeur du camp. Les pelletées sont payées quelques francs, plus qu'il n'en gagne avec ses dessins, et ainsi il peut acheter le peu de nourriture qu'il donne à Lise en supplément. Mais il voulait garder cette activité dérobée au regard des vivants.

Elle voyait en lui l'insouciance de celui qui vit dans l'instant et le découvre à présent creuseur de tombes. Tout le corps d'Ernesto se met à trembler sous le regard de Lise. Elle ne verra plus ses mains que pleines de sang séché, faucheur solitaire d'un camp de concentration français. Mais c'est une tout autre image qui lui vient à l'esprit. Sur le sol d'une patrie qui n'est pas la sienne, il est là, en oripeaux, à ensevelir les morts pour leurs idées à côté des morts pour rien, prenant le temps d'adresser une prière à la Vierge Marie pour chacun. Il y a ceux qui combattent, ceux qui résistent, mais il y a celui qui, à rebours du chemin, enterre les défunts, caché par un muret de pierres claires et un rideau de lierre. Il possède à ses yeux une vertu plus noble et désirable que n'importe quel autre homme sur cette terre. Il ne brille pas par ses actes de guerre, il est debout, précieux comme un diamant. Une émotion intense s'empare d'elle, Lise court, se jette dans ses bras, l'étreint de toute son âme, couvrant son front, ses yeux, ses joues de baisers que la bouche d'Ernesto lui rend éperdument.

Il soulève sa libellule qui bat des ailes entre l'eau et le ciel, soustrait ses pieds nus à la terre retournée et la porte jusqu'à la forêt enchantée qu'il a peinte pour elle. Lise porte encore la coiffe de mariée, il franchit la porte de la baraque en la tenant fermement dans ses bras, dans une marche nuptiale silencieuse entre chien et loup. Comme il n'y a pas de lit, il la couche sous le piano, qui leur offre quatre pieds et un toit. Ernesto ouvre sa chemise avec douceur, tandis que ses yeux ne quittent plus ceux de Lise, sa bouche part à la découverte de la géographie de son corps, s'arrête sur chaque plaine, chaque colline, chaque recoin, qu'il avive de sa chaleur. Son costume enlevé, ce n'est plus Hermia, mais Violetta, la femme dévoyée.

Le jour se lève, Lise sourit.

QUATRIÈME PARTIE

1

La forêt de Compiègne
Avec ses sbires,
Hitler a choisi,
Pour se venger
Et faire signer Pétain
La quoi ?
L'amitié, l'améthyste, la métisse...
Non, l'Armistice !

C'est dur à prononcer
Avec un ch'veu sur la langue,
Et pour peu qu'on aime la France,
Imaginez un peu !
On préférerait la couper
Que de l'avoir à prononcer !
La quoi ?
L'amitié, l'améthyste, la métisse...
Non, l'Armistice !

Mais c'est la France
Qui est en deux coupée,
Du Nord au Bleu éparpillée !

Par quoi ?
Par l'amitié, l'améthyste, la métisse...
Non, l'Armistice !

*
* *

« Toutes les femmes aryennes peuvent se faire connaître en vue d'être rapatriées en Allemagne. »

Au bout du fil, la voix de l'agent du haut commandement militaire allemand à Paris est des plus sympathiques.

« Précisez-moi comment reconnaître une Aryenne, je vous prie ? »

Par la fenêtre du bureau du commandant Davergne, les montagnes s'embrasent sous le soleil couchant et projettent sur les nuages une lumière parme qui donne au ciel quelque chose d'incandescent.

« Commandant Davergne, vous êtes décidément trop français, il vous faut des définitions pour tout, vous vous entêtez à vouloir comprendre avant d'agir, c'est pour cela que vous avez perdu la guerre !

— Nous n'avons pas perdu, avec tout mon respect, nous avons signé un armistice.

— Vous avez raison de garder le sens de l'humour, commandant Davergne ! Les femmes aryennes sont les citoyennes allemandes qui ne sont ni opposantes politiques ni juives. Merci de nous communiquer dans les délais les plus brefs la liste des Aryennes sous votre responsabilité afin d'organiser un convoi à destination du Reich, ainsi que la liste des non-Aryennes.

— Je crains de ne pas comprendre.

— Nous exigeons, conformément à l'article 19 de l'armistice, la présentation de listes identifiant nommément les réfractaires politiques ainsi que les sujets juifs, œuvrant tous deux contre les intérêts du Reich, que la France vient de s'engager à protéger.

— Que comptez-vous en faire ?

— Nous ne laissons pas aux autres le soin de nettoyer nos saletés.

— Ces femmes sont détenues par le gouvernement français, dans la zone non occupée. Que celles qui veulent rentrer en Allemagne puissent voir leur volonté facilitée, je vous l'accorde. Les autres ne peuvent être persécutées sur le sol français !

— C'est bien pour cela que nous allons les ramener en Allemagne, afin de respecter les accords signés par nos deux pays ! »

Alain Davergne n'est pas un fin lettré mais il en connaît bien assez pour aimer la France de toute son âme. Son or, ce sont ses valeurs, lourdes à porter, inaltérables, étalon de toute l'humanité. La France est le rayon de lumière qui traverse soudain un ciel d'orage. Elle était grande et protégeait les petits. Elle est huée à présent que sa grandeur s'écroule, les Allemands tiennent le marteau et la clouent au gibet, les autres la raillent. La France est nue, sanglante et la chair entamée, l'armistice vient d'être signé. Le 22 juin 1940 à 18 h 50, dans la voiture 2419D de la Compagnie des wagons-lits, perdue en pleine forêt de Compiègne, avec à son bord une table et dix chaises, quelques hommes réunis décident du sort de tous. Le gouvernement français ordonne la cessation des hostilités contre le Reich. Les troupes françaises, déjà encerclées, déposent immédiatement les armes. Le maréchal Pétain pensait pouvoir traiter dans le respect mutuel et l'honneur. Il vient hélas de trahir la parole donnée aux réfugiés politiques et aux juifs en provenance d'Allemagne qu'aucun mal ne leur serait fait. La France est coupée en deux au niveau de la taille. À l'est, depuis la frontière suisse, vers l'ouest jusqu'à Tours, puis droit vers le sud jusqu'à la frontière espagnole. Le Nord sera occupé par l'ennemi, le Sud sera une zone libre. La ligne suturant le pays passe par Orthez, à quarante kilomètres seulement d'Oloron-Sainte-Marie, livrant les femmes de mai au long bras de l'ogre.

« Article 19. Le gouvernement français est tenu de livrer sur demande tous les ressortissants allemands désignés par le gouvernement du Reich et qui se trouvent en France, de même que dans les possessions françaises, les colonies, les territoires sous protectorat et sous mandat. » Comment désormais protéger les indésirables ? Davergne n'avait pu sauver la France, le gouvernement en avait bradé la moitié pour sauver le plus grand nombre, devait-il en faire autant ? Devait-il accepter d'en sacrifier quelques-unes, pour que toutes survivent ? Est-ce agir en bon père de famille que de laisser enlever ces enfants ? Ou bien faut-il résister, au nom de la patrie, de la gloire, du panache, et les voir toutes fusillées ?

Au Cabaret bleu, on commence à chanter. Davergne a autorisé les représentations deux fois par semaine, les vendredis et samedis. Ces femmes qui sont arrivées un soir de printemps les visages marqués par l'angoisse de leur traversée de la France ont à présent un nom. Un nom qu'il ne peut faire l'affront de coucher sur une liste. Il ne dira rien ce soir, le Cabaret bleu doit se produire coûte que coûte. Il déboutonne son uniforme, qu'il place avec soin sur sa chaise de bois, enfile un pantalon à pinces en laine marron trop épaisse pour la saison, ajuste la veste à double boutonnage et à revers en pointe qu'il garde dans une armoire de ferme. Il laisse sa casquette comme ses fonctions sur son bureau vide. Il ferme la porte et va, en civil, écouter ses filles, son cabaret.

Sur la scène, Lise, sa chevelure de jais divisée en deux nattes, déguisée en fillette, entre, suivie d'Eva, qui porte la robe à fleurs cintrée du jour de son arrivée, elles ont avec elle deux valises, posées à leurs pieds.

> « *Maman, cerise, cela s'écrit avec un S ou avec un C ?*
> — *Cela s'écrit maintenant avec SS meyn Libe.*
> — *Pourquoi cela ?*
> — *Parce qu'ils ont gagné.*
> — *Maman, France, ça s'écrit avec un S ou avec un C ?*
> — *Cela s'écrit maintenant avec SS meyn Libe,*

— *Maman, SS qu'il faut fuir ?*
— *Turlututu casque pointu.*
— *Maman, SS des chars que j'entends ?*
— *Turlututu baïonnette tendue.*
— *Maman, SS nous qu'ils viennent
  chercher ?*
— *Turlututu cri aigu.*
— *Maman, SS qu'ils vont m'assassiner
  aussi ?*
— *Turlututu crâne fendu.*
— *Maman, SS que je te reverrai ?*
— *Turlututu tu n'es plus. »*

2

Le lendemain matin, 23 juin 1940, Davergne doit annoncer la nouvelle de l'armistice à son personnel réuni devant sa baraque. Voir la flotte démantelée, l'armée démembrée lui fait mal, lui qui a servi avec autant de dévouement. Les soldats français faits prisonniers durant les combats ne seront pas rapatriés, ils resteront détenus jusqu'à la fin de la guerre, tel est l'accord auquel son gouvernement a consenti, et il en est outré. Dans un autre pays, un autre commandant doit faire la même annonce à des soldats tricolores, des petits gars de Nice, de Mont-de-Marsan ou de Roubaix crevant de faim dans des camps de prisonniers allemands. Davergne semble amaigri dans son uniforme. C'est une chose curieuse de voir cet homme d'ordinaire de haute taille ployer sous le poids des conditions de la reddition. « Aussi longtemps que je serai commandant de ce camp, aucun de ceux qui sont placés sous la protection de la France ne sera livré aux Allemands », dit-il, commettant l'imprudence de promettre ce qu'il n'est pas en mesure de tenir.

Chaque garde passe la nouvelle aux prisonniers de son îlot, si bien qu'avant l'heure de la toilette l'armistice est déjà sur toutes les bouches.

« *Heil Hitler !* » applaudit Dita Parlo, en levant à l'équerre le bras droit, celui avec lequel elle se lave et qui tient un gant mouillé.

« Oui, vive Hitler ! » lui répond Mathilde Geneviève, le visage cramoisi.

L'essaim de femmes d'un coup fait silence. Eva les regarde avec une incompréhension partagée par des centaines d'autres et qui soudain lui noue le ventre. Comment une femme peut-elle volontairement renoncer aux droits qui sont les siens et grossir, sourire aux lèvres, les rangs de sa propre oppression ? D'autres baigneuses nues leur font écho, une trentaine de bras se lèvent, blancs, rectilignes. L'Occupation a révélé une chose terrible : les femmes s'allient parfois avec ceux qui les tuent. Elle pensait jusqu'à cet instant que le fascisme était une affaire d'hommes, mais sous ses yeux des paires de seins se redressent au nom du Führer. Sans doute pour se sentir importantes, utiles, trouver un ensemble de valeurs qui les rassure, plutôt que d'être confrontées à elles-mêmes. Leur parole vient d'être libérée, comme si Hitler en personne les avait adoubées. Craignant les règlements de comptes, le commandant fait sur-le-champ aménager un îlot pour ces Allemandes aryennes qui souhaitent regagner l'Allemagne nazie, l'îlot L.

Le garde appelle des noms sur une liste, afin qu'elles puissent occuper leur nouveau lotissement, avant le rapatriement. Dita ne met guère de temps à rassembler ses affaires et quitter enfin l'îlot des Indésirables. Les lettres se succèdent lentement.

« Platz Eva. » Deux syllabes lancées, la détresse sur le visage de la belle Eva. Lise, qui se tient près d'elle, fait un pas de côté.

« Il y a une méprise, tu le sais bien, je n'en suis pas », se défend-elle tandis que la sentinelle répète son nom en articulant, d'une voix qui va à l'inverse de ses dénégations.

Demander à être rapatriée, cela voulait dire faire allégeance.

« Lise… Tu ne peux croire que je sois capable de cela. Tu connais mon secret. Tu me connais ! »

Mais Lise ne répond pas. Pourquoi Eva a-t-elle été la seule à recevoir du courrier ? Comment a-t-elle obtenu un piano ? Qu'elle était sotte d'avoir cru qu'elle était son amie, d'avoir partagé avec elle les élans de son cœur. C'est évident, elle n'a rendu leur vie meilleure que pour les livrer à l'ennemi.

Des centaines de paires d'yeux fixent Eva.

« Lise, regarde-moi ! » supplie-t-elle, mettant une telle ardeur désespérée à la détromper qu'elle apparaît comme la plus coupable des femmes.

Lise rentre dans la baraque 25, la leur. Elle a été trahie. Eva marche sur la route d'asphalte accompagnée des six cents Aryennes qui affluent vers l'îlot L. Les gardes les pressent avec une courtoisie glaciale, et par-dessus les barbelés, des deux côtés, en toutes les langues, pleuvent des insultes. C'est un cauchemar qui prend corps sur une scène de théâtre.

Dans l'îlot des indésirables, on commence à s'interroger.

« Je ne veux rien devoir aux nazis, mais si je pouvais sortir d'ici et rentrer chez moi ? Il n'y a pas d'autre moyen. Je pourrais leur dire que j'en suis, ce serait un pieux mensonge... gémit une dactylo de Belleville originaire de Francfort.

— Et moi, je peux aussi me faire inscrire comme Aryenne et rentrer chez moi ? » dit Dagmara, dont le nom de famille est Rosenthal.

Elles sont nombreuses à se dire prêtes à vendre leurs convictions au diable pour regagner leur foyer.

« Il y aura une commission allemande qui vous interrogera avant de vous relâcher, votre fraude sera découverte et vous irez croupir dans un camp, bande de lâches que vous êtes ! » les tance Lise. Elles acquiescent d'un soupir, Dagmara laisse tomber sa tête sur ses genoux cagneux.

Les jours passent, interminables, l'îlot des indésirables s'est éteint depuis qu'Eva en a été soustraite. Lise se sent faible, elle est prise de malaises, de vomissements qui viennent ôter le peu de force qui lui reste. Elle marche le long du grillage comme le chien guettant le retour de son maître, prêt à mordre l'étranger qui s'approche, regardant au loin les restes du Cabaret bleu. Elle contemple ce décor qui n'a pas bougé, le piano sous lequel elle a aimé, les dessins d'Ernesto. Mais sans Eva pour lui donner vie, la baraque ressemble à un décor vide, une maison de poupée qu'un enfant cruel précipiterait au sol d'un revers de main. Cela fait trois semaines déjà, une éternité. Lise entre dans la baraque du commandant, Davergne n'y est pas. Seule sa casquette trône sur le bureau, le poste de radio est allumé.

Les Allemands ont récupéré le puissant émetteur du poste privé Le Poste Parisien le 5 juillet. Et depuis ses studios luxueux et modernes des Champs-Élysées, la station reçoit des orchestres et des artistes réquisitionnés sous la direction de la *Propaganda-Abteilung Frankreich*. Le commandement militaire du Reich s'est donné les moyens de persuader par tous les sens, y compris l'oreille, les Français de collaborer. Radio-Paris ment, Radio-Paris est allemand, mais on ne le sait pas encore, la confusion règne sur les ondes. La fréquence diffuse alors une émission de cabaret toute nouvelle, *Les Juifs contre la France*, le cabaret antisémite présenté par Georges Oltramare. Une chanson endiablée sortant du poste de bois et bakélite déchire le silence de la baraque :

> *Quel est cet affreux bipède*
> *au nez super-aquilin*
> *à l'expression vile et laide*
> *à la lippe indolente*
> *qui se fait avec sa bande*
> *prêteur ou carambouilleur*
> *pas besoin qu'on vous le demande*
> *c'est le youpin, c'est le youpin,*
> *c'est toujours le sale youpin*
>
> *qui donc est roi de la flemme*
> *qui donc profite d'autrui*
> *qui n'a pas de pays qu'il aime*

qui donc ignore la patrie
qui s'installe par le monde
aventurier du hasard
qui donc est un être immonde
vous répondez sans retard
c'est le youpin, c'est le youpin
c'est toujours le sale youpin

qui donc fit de la politique
un business louche et véreux
un commerce de boutiques
un bric-à-brac de pouilleux
qui fit de la république
une vraie dégoûtation
pas besoin qu'on vous l'indique
vous clamez d'un seul ton
c'est le youpin, c'est le youpin
c'est toujours le sale youpin

qui a donc voulu la guerre
sans craindre de faire souffrir
en pensant c'est une affaire
qui ne peut que m'enrichir
et quel stratège à la manque
put déchaîner le conflit
grâce au pouvoir de la banque
vous le dites d'un seul cri
c'est le youpin, c'est le youpin
c'est toujours le sale youpin

quel être machiavélique
voit avorter ses projets
et devient mélancolique
devant son échec complet
quel est donc l'être interlope

descendant du juif errant
qui erra trop en Europe
et qui doit foutre le camp
c'est le youpin, c'est le youpin
c'est toujours le sale youpin.

C'était cela, la France ? Lise tend la main vers la molette du poste pour éteindre cette infamie. Sur le chemin de ses doigts, posé sur le bureau, il est là. Offert, disponible, clair, avec une écriture à l'encre noire, au tracé précis, « Dossier administratif relatif aux femmes aryennes. » La vertu seule est insuffisante face au besoin de vérité, tout est tentation pour celui qui la craint. Peu lui importent les noms qu'elle ne connaît pas, elle n'a pas le cœur à révéler les ambitions secrètes des autres. Seule Eva compte. Elle consulte les fiches individuelles indiquant la dernière adresse connue, le nom marital, le numéro de matricule, les liens avec des partis politiques ou des organisations. À la vingt-sixième page, Eva Platz. C'était donc vrai, aucune erreur n'a été commise. Elle sort le bout de papier pour le voir de plus près, s'assurer qu'elle n'est pas victime d'une quelconque chimère. Tout son être s'est contracté en un frisson, la rage, émotion qu'elle n'a jamais connue jusqu'alors, l'envahit. Mais la fiche d'identification d'Eva porte une mention. Son père, devenu officier chez les *Sturmabteilung*, les chemises brunes des sections, réclame son rapatriement immédiat. Elle n'a pas menti ! Elle inonde de larmes le papier qu'elle ne peut s'empêcher d'embrasser à plusieurs reprises. Leur amitié, leur lien, rien n'est vain, puisque Eva est dans l'îlot L contre sa volonté.

« Je croyais vos baisers réservés à un certain Espagnol », l'interrompt Davergne, dont les pas ont été couverts par le joyeux orchestre de Radio-Paris.

« Avez-vous vu tout ce que vous vouliez voir ou vous faut-il également mon bulletin de santé ? » enchaîne-t-il.

Lise bégaye des excuses auxquelles elle-même ne croit guère. On ne pourrait être plus coupable qu'elle en cet instant.

« Je vous remercie, mademoiselle, de veiller ainsi au classement de mes dossiers, cela sera suffisant pour ce soir. Mais, puisque vous m'avez l'air d'affectionner les listes, je vous charge d'établir celle demandée par l'armée d'occupation. Veuillez, s'il vous plaît, consigner les noms de toutes les femmes non aryennes d'origine juive qui se trouvent avec vous, et me les communiquer. »

Personne n'aurait donc pitié d'elle ! Le tri des bonnes et des mauvaises femmes que l'on redoutait tant a donc commencé. Les protégées seraient rassemblées dans l'îlot L, arche de Noé pour celles qui repeupleraient la nouvelle Europe, les autres seraient noyées.

« Sitôt que vous me l'aurez rendue... Toutes celles qui pourront justifier d'un lieu de résidence, ainsi que de moyens de subsistance, pourront être libérées sans délai. Je rédigerai en personne pour chacune un bon de libération, aujourd'hui même. »

Lise craint un mirage là où il n'y a qu'une mare de sable, mais Davergne lui semble investi d'un pouvoir impérial, beau dans son uniforme, gigantesque. Elle se jette à ses pieds, s'accroche à ses genoux. Elle ne peut se résoudre à le lâcher, de peur qu'il ne s'envole et n'emporte la promesse de liberté qui vient d'être faite.

*
* *

La France était battue et toutes les communications interrompues. Dans le chaos qui suivit, nous parvînmes à mettre la main sur des papiers de libération grâce auxquels nous fûmes en mesure de quitter le camp. Il n'y avait alors pas de Résistance française. Aucune d'entre nous ne pouvait décrire ce qui attendait ceux que nous laissions derrière nous. Tout ce que nous pouvions faire, c'était leur dire que ce que nous attendions arriverait – le camp serait livré aux Allemands. [...] Cela n'aida pas les internés. Après quelques jours de chaos, tout redevint très régulier et la libération était presque impossible. Nous avions exactement prévu ce retour à la normale. C'était une chance unique, mais qui signifiait qu'il fallait partir avec pour seul bagage une brosse à dents, car il n'existait pas de moyens de transport.

Hannah Arendt

3

Lise revient annoncer l'heureuse nouvelle à laquelle répond une inquiétude formulée presque d'une seule voix : « Libérées ? Mais où irons-nous ? » Des centaines de femmes n'ont plus de nouvelles de leur mari, ceux qui étaient au front ont été faits prisonniers ou évacués. L'arrivée rapide des Allemands a poussé sur les routes des millions de Français qui tentent de gagner la zone libre chez un parent éloigné, un ami, une connaissance. D'autres ont été internés dans un camp, Gurs n'est qu'un parmi plusieurs dizaines. Aucun des deux époux n'a le moyen de savoir ce qui est arrivé à l'autre, si bien que l'on ne se cherche même pas. Mais Davergne a donné une échéance pour prétendre à la chère liberté. Les indésirables ne bénéficient que d'une semaine. À ce terme, les Allemands prévoient de dépêcher une commission spéciale qui prendra le contrôle adjoint du camp et l'assistera dans chacune de ses décisions.

Hélas, comment, alors, retrouver les proches ?

« Faudrait envoyer des lettres à tous les camps d'hommes. Pour voir si quelqu'un vous répond et veut vous prendre. Moi je reste ici, je suis servie », lance Suzanne sur le ton de la boutade.

L'idée tenait du génie. Ces femmes ne partiraient pas sans avoir trouvé leur fiancé, leur mari. Et puisque les courriers personnels sont interdits, une seule solution, lancer une grande opération de localisation des hommes ! L'ensemble du service administratif du camp, trois soldats, deux secrétaires et un sous-officier, sont ainsi immédiatement affectés à la rédaction et à l'envoi de télégrammes à destination des autres camps de prisonniers du territoire, avec la liste des noms recherchés. Un miracle d'été se produit. De toute la France, des télégrammes officiels reviennent à Gurs, avec la certitude que l'autre est en vie.

M. Richard Schneider, camp de Saint-Cyprien, attend Mme Ada Schneider,

M. Samuel Mendelsson, camp des Milles, attend Mme Ann-Lise Mendelsson,

M. Rodrigo Perez, camp de Rieucros, attend Mme Irma Perez.

Chaque matin, toutes accourent pendant qu'une sentinelle affiche sur la baraque de service la liste des nouveaux noms. Certaines n'ont personne à trouver, mais viennent tout de même pour partager la joie et les cris de celle qui a été choisie, comme la grande gagnante d'une loterie divine. On lit un nom, une adresse, à nouveau on a l'espoir d'un monde en paix où l'on se retrouvera, bientôt. D'autres, à chaque nouvelle fournée, restent en souffrance devant la liste des appelés. Peut-être est-il mort, ou, pire, a-t-il reçu l'appel mais n'a pas souhaité y répondre. Il en a rencontré une autre, une compagne de barbelés. L'angoisse de la mort le dispute en leur cœur à celle plus terrible encore d'avoir été oubliée. Mais elles reviennent le lendemain, pleines d'un nouvel élan, peut-être enfin s'est-il réveillé d'un long sommeil !

Eva, dans l'îlot L réservé aux femmes aryennes, n'est pas concernée. Les Aryennes seront rapatriées en Allemagne. Pas besoin qu'un mari les y attende, un pays tout entier les accueillera. Lise veut remplir une demande au nom d'Eva pour retrouver Louis. Peut-être est-il lui aussi dans un camp de prisonniers ! Mais, le crayon en main, elle s'aperçoit, qu'elle ne connaît guère son nom. Eva ne l'avait jamais prononcé. Elle en parlait avec une telle passion, une telle animation qu'il n'y avait plus désormais qu'un seul Louis au monde, c'était lui.

Le bruit court qu'on libère une centaine de femmes par jour, conduites en camion militaire jusqu'au village de Gurs, où le maire a mis à disposition une grande salle servant de dortoir, dans laquelle il a organisé une cantine offrant à midi des déjeuners pour les anciennes prisonnières. Il voit arriver des grappes de femmes sous-alimentées, épuisées mais à la tenue impeccable, les cheveux mis en plis et le maquillage devant lequel s'extasient les paysannes de la vallée. Elles portent des turbans à la mode, ou un mouchoir de couleur noué autour de la tête. Maintenant libres, elles ne savent où aller ni que faire. Quelle ironie, avoir attendu d'être libre pour retourner en zone occupée ! Eva n'a qu'une seule angoisse, que Lise fasse partie des libérées, qu'elle n'ait pu la revoir, s'expliquer. À la fin du mois de juillet, les bons de libération sont déclarés périmés. Les îlots de femmes sont presque vides, quatre mille femmes sont parties. Sept cents ont choisi de rester. Dans la baraque 25, dix internées se partagent un espace enfin vivable. On profite des rations de café, de deux paillasses pour une, de toutes les richesses de pacotille que celles qui sont parties n'ont pu emporter.

« La commission Kundt est là, ils sont là ! » hurle au matin du 21 août, la jeune prostituée qui s'est sacrifiée pour apaiser les pulsions du garde Grumeau, courant dans tout l'îlot, comme si elle avait vu le diable en personne se présenter à l'entrée du camp. Cinq fonctionnaires allemands en civil sont accompagnés d'un lieutenant français. Les Aryennes sont priées de se placer en rang, afin d'être brièvement interrogées.

« Votre famille souhaite vous rapatrier, Fraulein Platz.

— Je ne partage pas leurs idées.

— Êtes-vous communiste ?

— Nullement.

— Alors pourquoi ? Vous pourriez vivre merveilleusement bien en Allemagne.

— C'est bien ce que l'on m'a proposé.

— Et alors ?

— Si vous vous donnez le droit de mourir pour votre idéal, alors je me donne le même droit, pour le mien.

258

— Vous ne voulez pas rentrer dans votre pays ?

— Cela fait plus de huit ans que j'en suis partie, je crains de ne guère le reconnaître. »

Eva parle sans morgue. Le fonctionnaire, âgé d'une trentaine d'années, est surtout pressé de remplir sa liste de noms prêts au rapatriement et d'en finir avec les démarches administratives, tâche pour laquelle il ne met aucun zèle, pas la moindre conviction personnelle.

« Mais que dois-je faire de vous ? Vous êtes citoyenne allemande, vous avez besoin de soins et méritez un meilleur traitement.

— Laissez-moi là. Si je dois mourir dans un lit, je préfère que ce soit ici. Ce sera un hommage à la France qui a accueilli tant de réfugiés, plus qu'aucun autre pays d'Europe ne l'a fait.

— Vous avez raison, remarque-t-il. Je vois que vous êtes très malade, poursuit-il, le nez dans ses papiers.

— Je suis en aussi bonne santé qu'on puisse l'être en temps de guerre, se défend-elle.

— Vous me paraissez pourtant en bien mauvaise santé. Bien trop mauvaise pour voyager. N'est-ce pas ? »

L'uniforme lui lance un regard appuyé à la recherche de son consentement.

« C'est à présent vous qui avez raison. »

« *Inapte au transport* », écrit-il sur la feuille de renseignements la concernant, avant de hausser les épaules en s'éloignant vers les îlots d'hommes, vidés eux aussi de la majeure partie de leurs prisonniers.

Peu avant l'aube, Davergne, averti de l'arrivée de la commission, a organisé le transfert d'un contingent de Brigades internationales. Depuis des mois qu'il se préparait à cette éventualité, il avait trouvé un moyen non officiel de les faire passer en Afrique du Nord, dans la partie des colonies placée sous contrôle français et anglais.

« Nous avons subi des pertes considérables liées à l'épidémie de dysenterie », explique-t-il aux Allemands, prenant soin de couvrir sa bouche de son mouchoir blanc, ce qui a pour effet de faire presser le pas aux membres de la commission, qui barrent ainsi en hâte des milliers de noms suivis de la mention *décédé*.

Davergne sait, hélas !, que la supercherie sera dévoilée sitôt communiqué aux autorités militaires de Paris le rapport de visite. La commission partie, il s'avance au pas de charge vers les voitures de son personnel, un broc dans chaque main, siphonne le réservoir de la Citroën de Grumeau, verse ensuite le pétrole sur le parquet de sa baraque, dans laquelle est archivé le registre des prisonniers. Il imbibe son mouchoir et badigeonne les murs du sol au plafond. Un incendie fera disparaître tout ce qui permettrait d'identifier ceux qu'il a libérés.

Debout dans son costume de laine marron, Davergne se tient face à la baraque. Les flammes se reflètent dans ses lunettes. Il a senti une odeur âcre, apportée par un courant d'air, il est sorti en laissant tout derrière lui. Il y a d'abord eu un crépitement timide, puis un ronflement assourdissant. Il s'est retourné. En un instant, la baraque qui abritait son bureau s'est mise à flamber avec une violence inouïe. Des flammèches ondulent comme le serpent charmé par la flûte et courent d'un objet à un autre. Son lit en feu, son bureau en feu, le feu partout.

Les fenêtres crèvent une à une sous la poussée de l'incendie, des flammes gaillardes embrassent les murs, les enlacent avec avidité jusqu'au toit. Des colonnes rouges s'élèvent maintenant à une hauteur prodigieuse, teintent le bleu du ciel jusqu'à lécher les pieds du soleil à son zénith, montent si haut qu'elles dépassent les sommets alentour et colonisent bientôt les baraques voisines réservées à l'administration. Les clous métalliques se tordent comme des martyrs dans une douleur extatique, les transmetteurs éclatent, des flammèches tourbillonnent, rencontrent dans leur course des copeaux et des vis qui passent comme des comètes livrant une dernière course flamboyante avant de s'éteindre. Les documents, les cachets, les noms, tout se consume dans une crue de feu qui laisse derrière elle des parchemins brunis, des papiers qui s'envolent comme des oiseaux pris dans un orage, puis ruissellent et retombent sur le parquet à présent en fournaise, sur lequel déferle une houle incandescente.

Les piètres baraques de bois de l'entrée de Gurs brûlent comme des fagots, par tous les bouts à la fois. Rien ne résiste aux flammes, pas même la lâcheté, la veulerie qu'il y avait à condamner sur le papier des êtres humains innocents. Le brasier emmène avec lui l'honteuse débâcle, l'indigent armistice. S'il n'avait pas été si triste, le spectacle aurait été aussi sublime que les feux de Bengale que l'on tire parfois en plein été, et qui égayent de leurs couleurs irréelles les yeux des enfants qui ont veillé.

Un nuage de fumée prend possession de l'air sous la canicule de ce 21 août et fait neiger de noirs flocons de cendre. La vision du commandant se brouille sous l'effet de la chaleur, le camp se tord à présent dans une spirale dansante. Les gardes ont ouvert les grilles aux Espagnols qui prennent rapidement possession du château d'eau, ouvrent les vannes, tandis qu'ils poussent en hâte le petit train dont ils remplissent les wagonnets. D'autres démontent à coups de pied les baquets pour la toilette et forment une chaîne humaine jusqu'à l'entrée du camp. Il ne vient à l'esprit d'aucun de profiter de l'incendie pour s'échapper, les femmes sont enfermées dans leurs îlots. Ils sortiraient en hommes libres, ils ne s'évaderaient pas comme des vagabonds condamnés à se cacher dans les bois. Davergne, immobile, lève la main, d'un signe les met en suspens. Les flammes grossissent encore, mais il attend qu'elles aient tout avalé et n'aient plus rien à rendre. Enfin, quand tout n'est plus que cendre et poussière, il les laisse intervenir.

Le Cabaret bleu est détruit. Le feu a pris par le mur arrière de la baraque, s'est répandu à la scène et au décor de draps, mais a été arrêté dans sa course avant d'arriver au piano. Sauf, au milieu des ruines, son vernis cloqué sur le dos et les pieds, comme une peau livrée aux morsures du soleil.

Davergne a incendié son propre camp. Et pour ne pas risquer de parler s'il était arrêté, une fois le feu maîtrisé, il défait son uniforme et, vêtu de son pantalon de laine, quitte Gurs. Il a pris une dernière décision avant de disparaître sous une pluie d'étincelles. Eva est reconduite dans la baraque 25 des indésirables.

Elle s'approche, tremblante, de Lise. Elle ne sait comment lui expliquer, c'est à la fois si simple et si compliqué. Lise court vers elle. Elle pose un doigt sur les lèvres d'Eva. Puis elle prend les mains de l'amie prodigue enfin de retour, les pose sur son ventre et attend, craignant sa réaction en même temps qu'elle la guette avidement ; elle est enceinte.

*
* *

Toc Toc !
Qui est là ?
La France Libre,
On veut entrer !
Désolé, c'est occupé !

Occupé par qui ?
Par les Allemands,
Et leurs alliés,
Les collabos, les fainéants

Pour combien de temps ?
Personne ne sait,
Selon les souhaits du Chancelier
Les bacchanales du maréchal

Toc Toc ?
Occupé !

Les toilettes ?
Occupées !
La guichetière ?
Occupée !
Et le préfet ?
Occupé, occupé,
Comme la France !

4

Le soleil s'entête encore à briller, mais la saison n'y est déjà plus. Le 24 octobre 1940, ses rayons trompent l'œil, mais pas la peau. Tout ce qu'il traverse est pâle à présent, c'est l'automne des Pyrénées. Des Espagnols silencieux creusent des fossés le long de la baraque 25, sur plus de trente centimètres, au pied de l'édifice de bois. On dirait, pense Eva, qu'ils vont en découvrir les racines, la soulever de terre et la planter ailleurs.

« Pourquoi faites-vous cela ? leur demande-t-elle.

— C'est pour drainer l'eau.

— Quelle eau ?

— L'hiver arrive, répondent-ils.

— L'hiver doit être doux ici, nous sommes dans le Sud, n'est-ce pas ? »

L'Espagnol fixe le sol.

« La température ne descend tout de même pas en dessous de zéro ? »

L'homme à la pelle lève les yeux et tente de la rassurer.

« Cela dépend des années. »

Eva regarde autour d'elle, comme pour la première fois. Depuis six mois, les sommets formaient le décor d'une scène d'été, mais ils ne tarderont pas à se couvrir d'une neige qui, c'était plus que probable, les recouvrirait elles aussi. Bien sûr, en Allemagne, elle a connu des hivers rigoureux. Mais elle ne dormait pas à même le sol. Le froid allemand avait quelque chose de merveilleux, de conquérant. La neige venait figer les monuments de pierre et les rendre hors du temps. La rue appartenait alors aux enfants, à leurs luges de bois, le monde ralentissait, l'air était purifié de tout ce qu'il doit supporter. Dès le milieu de l'après-midi, on pouvait voir pardessus les toits les cheminées expirer la fumée des foyers qui réchauffaient les familles. Les si belles montagnes qui les ont jusqu'à présent protégées se font soudain menaçantes. Qui sait quels dangers se cachent derrière ses pics, prêts à les saisir ?

« *Está aqui* ! Hitler est ici ! Avec Franco ! »

Un autre Espagnol arrive en courant, la mine déconfite.

« Il ne faut pas rester ici, ils viennent nous chercher ! »

Les ouvriers laissent là leurs pelles et partent répandre la rumeur dans leur îlot. Certains commencent à se mutiner. La veille, Adolf Hitler est arrivé à la gare de Hendaye, dernière ville française avant l'Espagne sur la côte atlantique, à bord de son train, l'*Erika*, pour rencontrer Franco. L'Espagne doit entrer en guerre à ses côtés. Franco a le culot d'arriver huit minutes après lui et de parler neuf heures durant. Il a, de plus, des exigences. Hitler reprend sur-le-champ la route du Nord pour s'arrêter à Montoire et serrer la main de Pétain. Il n'est pas à Gurs, mais il s'est approché à une centaine de kilomètres, cela suffit pour faire perdre la raison à des hommes déboussolés qui, la nuit, entendent le loup hurler derrière les montagnes.

Le départ de Davergne a profondément troublé le camp. Même les éclairs de légèreté qui animaient le visage des Espagnols ont disparu. D'aucuns disent qu'il a déserté, d'autres qu'il a rejoint le maquis. Pour leur malheur, les membres de la commission Kundt ont jeté leur dévolu sur Grumeau, dont l'air infatué et sans compassion leur a fait grande impression. Il avait giflé un détenu israélite avant d'essuyer sa main contre un poteau. Ce dégoût s'appliquait chez lui aux hommes seulement. La chair des femmes n'était pas à ses yeux assez infâme pour l'empêcher de vouloir y attenter.

L'ambition personnelle de Raymond Grumel fait de lui l'homme de Vichy idéal aux yeux des Allemands. Il sait exploiter la bassesse humaine. Recourir au chantage sexuel, à la violence physique, affamer les prisonniers pour faire des économies sur l'achat de denrées ne lui répugne pas. Sans avoir assez de convictions propres pour être lui-même antisémite, il s'est adapté aux temps et fait du nazisme par contagion. Grumel est un homme de spectacle, il a besoin de frapper en public et, maintenant qu'il a pris du galon, habille toujours sa main de gants de cuir marron. À présent qu'il a tout pouvoir, les rondes nocturnes ont repris. Le public étant réduit, le spectacle doit être de qualité.

Une nuit, au début du mois de novembre, Grumeau fait irruption dans la baraque 25. La jeune prostituée qu'il affectionnait est morte à son tour, victime de la dysenterie. Difficile de trouver un souffre-douleur parmi la douzaine de femmes restantes. Ces filles ne ressemblent vraiment plus à rien, certaines n'ont même plus la force de résister. La seule qui garde encore quelques formes, c'est Suzanne. Mais elle est française, quel plaisir exotique y aurait-il à la mignoter ? Grumeau a une annonce à faire. Il a décidé de ne plus se servir de son fouet à chiens pour battre celles qui se refusent. Il ouvre la porte de la baraque pour le jeter, en preuve de sa bonne foi. Souriant, il sort alors de l'encoignure une énorme matraque. Sa main habillée de cuir saisit les cheveux roux de Suzanne. Un bigoudi tombe au sol, avec une mèche toujours enroulée, tandis que quelques gouttes de sang perlent aux racines. Lise s'est recroquevillée, Eva s'est couchée sur elle pour la protéger. Sa grossesse ne se voit pas encore, mais elles sont douze à la partager, dans cet espace reclus où Grumel les consigne désormais la plupart du temps. Un pacte silencieux a été conclu entre elles. Celle qui porte la vie ne doit pas être touchée. Il en relève de la dignité de chacune de se sacrifier pour que l'enfant à venir ne doive jamais affronter, là où il est niché, une telle violence. Garçon ou fille, une nouvelle créature va naître, elle sera sans passé, elle regardera le monde comme une énigme lumineuse et les guérira toutes de la nostalgie du monde d'avant.

Elles ferment les yeux et, pour essayer de ne pas entendre, pensent à un endroit secret. Celui où on ira lorsque la guerre sera finie. Eva est à Rome sur le Campo dei Fiori, sous un soleil d'été, elle tient la main de Louis, l'air embaume le café chaud. Lise est à Paris, elle regarde du balcon Ernesto peindre sur la place du Tertre, tenant leur enfant dodu dans ses bras. Grumeau a posté des sentinelles supplémentaires le long des îlots des hommes, gardés comme des trésors sous haute surveillance. Elles sont à présent isolées, livrées à elles-mêmes. Mais ce qui pousse dans le ventre de Lise donne un supplément de force aux occupantes de la baraque. Elle incarne ce qu'il peut y avoir de miraculeux dans l'existence humaine et qui défie toutes les lois : l'espoir. Ainsi, les coups font moins mal, les assauts sont moins longs à cicatriser. Elles ne sont plus des victimes, mais une armée dévouée à protéger un seul être, l'enfant du camp.

Suzanne reste seule plusieurs heures après le départ de Grumel. C'était la première fois qu'elle y passait. Elle avait crié. Elle avait pleuré, puis tapé des poings dans le mur de la baraque. Enfin elle revient autour de l'unique réchaud à gaz, au centre de la pièce, où les autres l'attendent en faisant bouillir de l'eau que l'on s'imagine être du thé. Elle ravale ses larmes et, devant le visage horrifié de ses camarades, elle retrouve la bravoure que les filles lui connaissent.

« On devrait se plaindre aux Allemands de nous avoir mis un commandant si mal monté. Quitte à être violée, autant que ce soit un gars qui connaisse son affaire. »

Elles rient. Fort, dans la nuit.

5

L'hiver s'annonce, l'amour s'anémie. À Gurs, la force des éléments est décuplée. Il pleut toute la nuit. Les gouttes frappent le toit avec insistance, de tout leur poids, portées par le vent du Nord, coulent, rebondissent, sourdent, suintent, tandis que l'humidité fait sortir de l'argile l'odeur de la pisse qui la recouvre. Chaque nouvelle averse est un défi à l'étanchéité de la baraque. Au bout de quelques minutes, une première goutte perce le plafond. L'éclaireuse est suivie d'une troupe qui prend d'assaut la faille et s'y engouffre à un rythme sonore, régulier. Eva se lève, pose une boîte de conserve sous les gouttes, qui mitraillent le métal. À peine allongée, elle se relève pour y mettre un chiffon. Les gouttes réfractaires tombent alors à côté de la boîte, puis dans une deuxième bassine et une troisième cuvette, au fond de la baraque, qu'elles ont cachée d'un drap, et qui sert désormais de toilettes à Lise, afin qu'elle ne risque pas de tomber dans les périlleux escaliers des tinettes.

Cette musique désordonnée, au rythme tantôt régulier, tantôt sinueux, irrite l'oreille d'Eva au plus haut point. Il est encore tôt pour être éveillée, mieux vaut attendre le jour, sous peine d'être gelée. Elle déplace les récipients puis se remet à guetter l'accord des trois gouttes qui peut-être tomberont enfin en même temps. Rien n'y fait, les instruments sont désaccordés, le ciel a encore besoin de se purger.

Lise gémit. Chaque matin, la même brûlure remonte de son estomac, traverse sa poitrine, inonde sa gorge puis frappe contre la paroi de ses dents. Elle vomit une bile jaune et mousseuse, tenaillée par la faim et la nausée. Cela fait trois mois à présent, et elle n'a pas pris le moindre centimètre. Peut-être son ventre se fait-il discret. Comment réagira Grumel dès lors qu'il le verra s'arrondir de la semence d'un autre ? En mâle dominant son troupeau, Grumel ne supporte aucune rivalité. Il a mis au pas les Espagnols et a fait enfermer dans l'îlot des représailles les fortes têtes, du moins ceux qui font tourner la tête aux femmes. Sans le moindre rayon de lumière, ils finiront bien par s'étioler. Il n'a laissé que les chétifs, les bas de plancher, les édentés aptes au travail. Pedro et Ernesto sont confinés depuis plus de trois semaines, sans la moindre chance de communiquer. Reprenant leurs tranchées, les Espagnols glissent, comme chaque matin, un petit papier sous la porte de la baraque. Ernesto est de ces hommes qui, retenus loin de ce qu'ils aiment, ne sont jamais tout à fait absents. Il dessine chaque nuit, à la faveur d'une lampe à huile, des objets de la vie quotidienne, et les fait passer au petit matin, entre deux planches, avant que la baraque ne soit fouillée, aux camarades qui viennent travailler à côté. Il noircit le papier de tout ce dont Lise aurait besoin dans son état, et dont elle manque. Il ne peut les lui offrir, alors il les lui dessine.

Lise s'empresse de le ramasser. Un landau se déplie sous ses yeux. Il a quatre petites roues pleines, une capote escamotable et un haut guidon droit. Une dentelle, étonnante de réalisme, orne une couverture qui recouvre la petite voiture, on aperçoit à l'intérieur une forme emmaillotée. La veille, elle a reçu une paire de chaussons en feutre, le jour d'avant le dessin d'un hochet en argent sur lequel il a crayonné leurs deux noms. Il n'a pas écrit celui de l'enfant, cela lui aurait porté malheur.

Autour d'Ernesto, l'obscurité et l'inactivité aliènent les hommes qui partagent son enfermement. Pedro reste assis toute la journée sans bouger sur sa paillasse, à regarder dans le vide. Il ne parle pas, mange à peine, ne se lave pas, ne se peigne plus et reste étendu, tout habillé. Même ainsi traité, il porte toujours sur le visage un air paisible et bon. Un autre à côté de lui est dévoré par les poux et ne leur donne même plus la chasse. Il se cogne aux quatre coins de la pièce, comme une mouche à une ampoule, méthodiquement, en répétant : « Franco nous a vendus à Hitler, il va nous manger », délirant sur les modes de cuisson possibles. Dessiner chaque soir venu un nouvel objet, y mettre ce qu'il peut de vie, de détails et surtout de beauté, c'est pour Ernesto retenir encore un peu son esprit et retarder l'inévitable, la folie. C'est une manière de participer aux premiers instants de la vie de son enfant.

Eva trempe une serviette dans l'eau qui chauffe sur le gaz, essuie le visage de Lise, ainsi soulagée. Aucune parmi les femmes du baraquement n'ayant jamais accouché, toute sensation qui s'empare de Lise est pour elles un mystère inconnu sur lequel elles veulent tout savoir. N'a-t-elle pas l'impression que quelque chose d'étranger se développe en elle ? Est-ce que cela fait mal ? Le sent-elle bouger ? A-t-elle l'impression d'être enfin une vraie femme ? Où fait-il pipi ? Lise n'a aucune réponse à tout cela, que des questions à ajouter aux leurs.

« Viens, je t'amène à l'infirmerie de Mlle Kasser. Elle aura sûrement reçu du Secours suisse de quoi te faire manger et te donner des forces.

— Parle-lui d'abord. Parle à mon enfant.

— Mon amie, tu es si plate que j'aurais l'impression de parler à ton nombril ! On lui parlera une fois ton ventre un peu plus plein.

— Parle-lui. »

Le visage de Lise le dispute en blancheur au linge, si bien qu'Eva n'a pas le cœur de refuser. Elle s'approche du ventre de son amie, mais rien ne lui vient. Une seule fois elle a parlé à un être à venir, on le lui a retiré. Elle voudrait tant être mère, elle ne le pourra plus. Lise ne le souhaitait guère, et c'est arrivé. Le destin a une manière terrible de nous faire marcher le long de nos failles, comme des fils tendus entre ce que nous sommes et ce à quoi nous aspirons. Et nous allons, tels des funambules aux bras tendus pour garder l'équilibre. Vainqueurs sont ceux qui ne regardent pas en bas mais dirigent leurs pas vers la ligne d'horizon. Eva ne peut pas parler à l'enfant, le précipice au-dessous de ses pieds est trop imposant. Mais elle peut chanter pour lui :

Cher printemps,
Bientôt tu fleuriras
Tu te souviendras,
Des eaux de l'automne,
Des glaces de l'hiver

Cher printemps,
Tu te souviendras,
De la faim et du froid
Que nous avons bravés
Pour arriver jusqu'à toi

Cher printemps
Tu te souviendras
De celle qui a perdu ses feuilles
Pour te nourrir de fruits
Et faire couler le lait

Cher printemps,
Tu marcheras,
Vers l'été de ta vie
Plus fort et plus grand
Qu'aucune saison

Cher printemps
Ne me cherche pas
Je ne serai pas loin
Je serai l'oiseau
qui te fera regarder plus haut

Je serai les mille vents
Qui caresseront tes cheveux
Je serai le scintillement
Des cristaux de neige,
Je serai la lumière
Sur les champs de blé,

Je serai la pluie
Généreuse aux récoltes,
Je serai ton étoile,
Qui brille dans la nuit
Cher printemps,
Pour que tu te souviennes de moi.

« Tu as raison, ce sera un enfant du printemps, sourit Lise. Maintenant, je veux bien que nous y allions, je sais que rien de mal ne va m'arriver. »

À l'extérieur de la baraque, l'averse et l'humidité ont transformé le sol en immense cloaque. Lise et Eva prennent soin de marcher sur le chemin de fortune fait de galets du Gave disposés là par ces chers Espagnols. De loin, l'image est assez comique, ces corps pataugeant dans de l'argile glissante, se rétamant tantôt sur le flanc, tantôt sur la face. Il faut passer par le chemin de « l'estrade », transformé par le temps en véritable calvaire. Elles avancent à pas lents, enfoncées jusqu'aux chevilles dans le sol. Elles usent leurs forces à arracher chaque pas de la boue. Le combat est inégal. La boue pénètre partout et laisse le pied complètement trempé. Et soudain elle est là, comme une poterie de glaise qui aurait tenté de prendre vie. Dagmara s'est levée en pleine nuit et a seule tenté l'ascension, elle a été faite prisonnière de l'argile. Elle s'est débattue, elle est tombée au sol, a voulu se relever, mais tout autour d'elle glissait, bientôt ses mains aussi ont été captives de la terre qui s'était alliée à l'eau pour en finir, son corps s'est affaissé, elle s'est noyée, au beau milieu de l'îlot. Elle y gît à présent misérablement. Eva regarde la montagne, il lui semble qu'elle se rapproche.

CINQUIÈME PARTIE

1

« Il vaut mieux allumer une lumière que de se plaindre de l'obscurité. » Elsbeth Kasser a fait graver cette phrase sur des plaques de marbre coloré, en hébreu, en allemand, en anglais, en espagnol, en polonais et en français, et les a disposées à l'entrée de la baraque qu'elle s'efforce de restaurer, à l'intérieur de l'îlot G, désaffecté depuis la libération d'une partie des femmes, et qu'on appelle parmi les internées l'As de cœur. Si les médicaments continuent à manquer cruellement, la sentence sur le marbre offre un début de guérison. Âgée d'à peine trente ans, fille de pasteur, Elsbeth a les yeux doux et les membres potelés d'un vrai chérubin. Par son intermédiaire, le Secours suisse envoie de nombreux colis de fromage, de lait, de fruits séchés. Il faut faire beaucoup avec peu, et avec de la nourriture pour cinquante personnes Elsbeth en sustente chaque jour près de trois cents. Une partie du ravitaillement, hélas, disparaît à chaque livraison. Depuis deux semaines déjà, elle n'a plus rien à donner. Elle en est réduite à distribuer du lait suisse en poudre, au beau milieu d'une vallée cernée de vaches laitières. Un matin de la fin octobre, Elsbeth enfourche sa bicyclette afin d'acheter des vivres aux fermes alentour. Mais les paysans ont outrageusement augmenté leurs prix, et les prières de cette Suissesse des Alpes n'éveillent en eux aucune générosité. Croisant sur le chemin du retour le curé du village de Gurs, il lui vient l'idée de mettre à contribution ce brave homme rubicond dans sa soutane d'un vert douteux.

« Je voudrais bien aider ces pauvres gens, mais voyez, je n'ai qu'une livre de beurre, un quart de graisse et quatre saucisses, voudriez-vous ôter la pitance de la bouche d'un homme de Dieu ? »

Le curé a dans ses mains de quoi préparer un festin pour trois femmes et deux enfants. Sait-il réellement que la faim n'est pas une sensation, mais bien une maladie qui ôte la vie à une ving-taine de détenus chaque jour ?

« Monsieur le curé, vous n'avez pas d'argent, j'en conviens, mais vous faites autorité. Vous pourriez dans votre prochain prêche parler de l'importance de la générosité envers son pro-chain, je suis sûre que vos paroissiens y seraient sensibles », lui dit-elle avant de prendre congé, les yeux plantés dans ses saucisses.

Ainsi, le dimanche suivant, les paroissiens d'Oloron, saisis sur leurs bancs, entendent avec ahurissement leur curé au flegme si rond ton-ner, la main droite tendue vers eux, l'index levé vers le ciel.

« Partagez ! Partagez et le Seigneur votre Dieu vous bénira dans tout ce que vous entreprendrez.

Il y aura toujours des pauvres dans votre pays, c'est pourquoi je vous le dis, soyez généreux envers vos compatriotes malheureux et miséricordieux envers les étrangers sur notre sol. En cette époque aussi troublée qu'au temps de Pharaon, Dieu vous donnera la manne en contre-partie. »

Les mots de Moïse ne suffisant pas, il fléchit ensuite sa voix pour faire résonner ceux du roi Salomon.

« L'homme généreux envers les pauvres ne manquera jamais de rien, mais celui qui ferme les yeux sur leur misère sera maudit par beaucoup. »

Il commence à transpirer, mais pour convaincre les plus réticents il tire une dernière carte de sa manche. C'est au tour de Jacques et Paul d'entrer en scène, le curé finit, en équilibre sur la pointe des pieds, les mains levées vers l'immense crucifix de bois au-dessus de lui, par invoquer le Christ en personne.

« Actes 20, 35. Il y a plus de bonheur à donner qu'à recevoir ! »

L'appel est si vibrant qu'Elsbeth, qui attend à la sortie de l'église, repart avec, ô miracle, une vingtaine d'œufs, un poulet vivant ainsi qu'un gâteau sur son porte-bagages.

Le piano du défunt Cabaret bleu a été disposé au fond de son infirmerie. Hans Ebbecke, organiste de la cathédrale de Strasbourg interné à Gurs pour n'avoir pas voulu quitter son épouse allemande, joue chaque dimanche matin des mélodies de Bach sur lesquelles Mme Ebbecke vient poser sa voix de soprano. Jamais on ne vit couple plus harmonieux que celui-ci. Jouant pour les malades de l'As de cœur serrés devant eux, ils se répondent sans se voir, dans une langue différente mais exprimant le même sentiment. Hans ne manque pas une occasion de vanter les vertus curatives de l'art : « Peu importe l'organe par lequel elle frappe les sens, ce peut être l'ouïe, l'odorat ou la vue, la beauté peut guérir les hommes de tous les maux ! Aussi faut-il, ici plus qu'ailleurs, les baigner dans tout ce que l'art a produit de meilleur. » Pendant quelques heures, les infirmes, les chétifs, les fiévreux allaient mieux. Le couple sollicite ainsi Fritz Brunner, premier violon de l'Orchestre philharmonique de Vienne, qui prend le relais avec des sonates de Beethoven, avant d'être rejoint par Ennio Tofoni, ténor du théâtre de Rome. De sa voix profonde aux accents italiens, il fait vibrer les murs de la baraque qu'Elsbeth, suivant les préceptes de Hanz, décide de décorer. S'il faut, pour espérer remettre les malades sur pied, les entourer de beauté et en baigner leurs sens, rien de plus stimulant que des affiches des montagnes suisses en noir et blanc ! Pour ajouter un peu de couleur au traitement, elle accroche un drapeau rouge à la croix blanche.

« Quelle ironie, dit Eva, que la dangerosité d'une nation tienne à la forme, à la couleur de la croix de son drapeau : noir, c'est une swastika, voilà la mort ; blanche, c'est une suisse, voilà le lait. »

Lise sourit en mangeant, et, peut-être attiré par la musique, elle sent enfin pour la première fois son ventre bouger.

« Regarde Eva, il a grossi ! » lui montre-t-elle.

Sa silhouette est toujours aussi plate qu'une carpette, rien ne lui profite, mais elle sourit en montrant son nombril à Eva, persuadée d'avoir le giron d'une mère. Son esprit accepte enfin l'idée de porter la vie.

« Vous voyez, il est déjà sensible à la beauté ! se réjouit Elsbeth, s'approchant d'elles. Que comptez-vous faire de cet enfant une fois né ? »

Elle a déjà mis au monde cinq enfants dans le camp, et a rapidement persuadé les mères de lui confier les nourrissons, afin de les faire passer dans la campagne alentour. Elle a trouvé des familles prêtes à les recueillir en attendant de recevoir des faux papiers en provenance de Suisse, où ses connaissances se chargent de les exfiltrer. Là-bas ils seront orphelins, mais à l'abri de la déportation.

De sa voix douce, elle ne cherche pas à convaincre une mère éprouvée dans sa raison et dans sa foi, mais à suggérer. Il y a mille dangers pour un nouveau-né dans un camp de prisonniers, auxquels il ne survivrait pas.

« Lise, prends le temps de mûrir ta réflexion, ce sont des choses graves, sache qu'un réseau est là pour t'aider. »

Eva est prise d'un profond sentiment d'anxiété. Y a-t-il quelque part un diable malin qui prend plaisir à leur faire revivre la même histoire tragique ? Devront-elles toutes deux connaître ce dilemme, laisser l'être que l'on a porté, le confier au sort plutôt qu'à soi, ou risquer de l'entraîner vers un enfer qui se refermerait sur lui ?

« Eva, que dois-je faire ? Je n'ai pas encore décidé que je suis déjà prise de regrets !

— Oh, mon amie, je regrette encore une fausse note lors d'un récital à Munich en 1928, où j'ai voulu essayer de jouer ce qu'il existe de plus dur, *La Campanella* de Liszt. Alors je ne puis te conseiller. C'est à toi de décider, tu as le choix.

— Mais qui a le choix a aussi le tourment ! Ce n'est pas moi qui choisis, la peur me pousse à l'abandonner, tandis que mon cœur ne le veut pas ! J'ai envie de l'aimer tu comprends, pour moi, avec moi. Suis-je égoïste si je pense ainsi, de vouloir préserver mon amour plutôt que sa vie ? Comment as-tu fait ?

— Je n'ai jamais eu à faire ce choix, d'autres l'ont fait pour moi. Crois-moi, cela n'est guère plus facile, on se sent dépossédé de la plus grande question qui puisse nous animer.

— N'as-tu pas donné la vie à Helmut ?

Eva prend une grande inspiration, puis se débarrasse de l'air, chargé de questionnements irrésolus.

— Je lui ai donné naissance. Je crois que donner la vie, c'est consoler, nourrir, aimer, éduquer. Cela n'est pas simplement mettre au monde. Peut-être que ce sont là deux actes séparés que les conditions empêchent parfois de réaliser ensemble. Mais on peut décider de donner l'un ou l'autre sans être une mauvaise femme.

— Tu te souviens de notre mot secret ? demande Lise.

— Ananas, répond Eva, retrouvant le sourire que lui a procuré le poulet d'Elsbeth.

— Lorsque je dirai ananas, je veux que toutes deux nous disions en même temps ce que nous voulons. Si nous joignons nos mains, nous aurons la force de parler vraiment, cela ne sera ni la peur ni la culpabilité qui voleront notre intention. »

Eva hoche la tête. « Ananas !

— Nous le gardons ! » disent-elles en chœur, les mains entremêlées.

2

« Mesdames, veuillez sur-le-champ vous regrouper chacune sur une seule paillasse, et faire place aux nouvelles occupantes qui vont arriver d'un instant à l'autre. Votre paquetage doit tenir sur soixante centimètres le long du mur, lit compris. »

La voix de Grumel, lorsqu'il n'a pas bu, change totalement. Elle a un accent chantant comme l'ont les hommes du sud de la France, qui ne laisse en rien deviner la sauvagerie dont il est capable.

« Combien vont être affectées à notre baraque ? s'inquiète Eva.

— Quatre-vingts.

— Mais c'est de la folie ! Elle ne compte que soixante places, et nous sommes déjà dix ! Il faut les répartir dans les autres îlots ! Combien seront-elles en tout ?

— Six mille. Peut-être plus. Maintenant, détenues, procédez. »

Grumel tourne les talons pour fuir les questions. Il n'en sait pas davantage en réalité, si ce n'est que rien n'est prêt pour recevoir autant d'internées. Les autorités de Vichy l'ont prévenu, le convoi est déjà en chemin.

« Pour sûr, les Allemands, cela doit être eux qui ont inventé les sardines en boîte. Ils sont champions dans l'art d'entasser », commente Suzanne.

Le bruit des camions militaires s'arrête net, à l'entrée du camp, bientôt relayé par celui des semelles sur le goudron de l'allée centrale. Eva a l'oreille aux aguets. Il y a de grands pas, des pas traînants d'un côté, des pas rapides trottinant derrière les autres, un, dix, cent.

« Des enfants… Il y a des enfants, hurle-t-elle à Lise.

— Impossible ! Que viendraient-ils faire dans un camp de prisonniers ? »

Consignées dans la baraque, elles ne peuvent qu'ouvrir les clapets recouvrant les ouvertures des fenêtres. Des valises traînées sous la pluie, des bagages éventrés, des ours en peluche, des souliers, des chandails de tricot semés le long des grilles, comme les cailloux du Petit Poucet. Devant chaque îlot, les hommes sont séparés des femmes, les enfants aux traits déjà adolescents arrachés aux mères, il est temps d'être grand, même si l'on n'a que douze ans.

La porte de la baraque s'ouvre et laisse passer un flot de femmes de toutes les tailles.

« D'où venez-vous ? demande Eva à la première qui s'avance dans le couloir, une femme d'une quarantaine d'années au foulard vert et aux yeux rivés sur le sol pour tenter de ne pas glisser sur les affaires des occupantes.

— Heidelberg, répond-elle, évitant les ficelles pendant du plafond avec des bouts de pain, des gamelles et des quarts.

— L'alsacien, ça sonne vraiment pas français, dit Suzanne.

— Parce que ce n'est pas une ville française, c'est en Allemagne, répond Eva, qui interroge une dame au dos voûté qui, bien que marchant sans canne, paraît centenaire. Et vous, d'où venez-vous ?

— La maison de retraite Blumen, peine-t-elle à articuler.

— De quelle ville ?

— Baden-Baden. »

Eva contemple la foule d'ombres qui s'avance, dans le couloir. Il n'y a là que des juives hagardes et épouvantées. Elles se pensent en Pologne, et n'en reviennent pas d'entendre parler français.

« Alors maintenant, Hitler il prend nos Français et il nous envoie ses juifs dont il ne veut pas ? s'étonne Suzanne. Ça serait pas plus simple que tout le monde reste chez soi ? »

Le 22 octobre 1940, à trois heures du matin, les Allemands lancent l'opération Bürckel. Les juifs habitant encore les régions de Bade et du Palatinat, lande de terre longeant la France du Luxembourg à la Suisse, doivent partir. Les hommes de la Gestapo quadrillent les villes, vident les hôpitaux, siphonnent les asiles, vidangent les maisons de retraite. Autorisés à n'emporter aucun bijou ni objet de valeur, simplement une centaine de reichsmarks par personne, ils sont rassemblés au pied des immeubles, conduits à la gare de Mannheim. Un convoi spécial composé de neuf trains attend les six mille cinq cent trente-huit âmes qui partent le lendemain pour une destination inconnue, et se présente à Chalon-sur-Saône. Les autorités françaises protestent, la convention d'armistice est bafouée, les accords outrepassés. La France ne peut accueillir toute la misère du monde dans des camps improvisés. Hélas, le convoi est déjà sur les rails, à la France de décider de laisser y mourir plus de six mille personnes, l'Allemagne ne les reprendra pas. Ainsi les trains viennent-ils décharger les pauvres hères à la gare d'Oloron-Sainte-Marie.

Lise les regarde s'installer, s'enquérir des couvertures, des oreillers ou même des toilettes. Elle a vécu, il n'y a pas si longtemps, le même drame. Mais quelque chose lui semble tristement différent.

« Étions-nous aussi misérables qu'elles le sont ? demande-t-elle à Eva.

— Je ne peux te dire pourquoi, mais je ne crois pas. Peut-être ne se rend-on jamais vraiment compte de la profondeur de son abîme. »

Les arrivantes ne savent où poser leurs affaires, trébuchent, s'excusant chaque fois qu'elles touchent quelque chose. D'autres attendent assises sur les paillasses, leurs valises sur les genoux, comme à un arrêt d'autobus.

« Nous, nous avions déjà tout quitté une première fois, poursuit-elle. Nous avons sectionné nous-mêmes nos racines, et nous avons choisi notre exil. Elles ont été arrachées à leurs foyers, dans leur sommeil.

— Dis-tu que nous avons pour cela moins souffert, que notre arrivée a été moins amère ?

— Nous étions plus fortes. Car nous avions déjà tout reconstruit, à partir de rien. »

« L'une de vous s'appelle-t-elle Eva Platz ? » Parmi la foule anonyme, une nouvelle prisonnière tranche par son allure. Une chevelure noire traversée d'argent surmonte un manteau de vison. Elle ne porte aucun bijou, cela est interdit, mais elle se meut comme si elle en était parée. Ses yeux clairs sont d'un vert constellé de jaune, et prennent à la lumière la couleur de l'or.

« Eva Platz ? » lance-t-elle encore, sortant de ses affaires une enveloppe. Eva fait un pas vers elle, tendant le bras pour saisir le papier sans adresse ni expéditeur.

« Qui vous l'a donnée ? Qui me connaît ?

— Un homme, à la gare d'Oloron, pendant que tout le monde se bousculait pour monter dans les camions.

— Que vous a-t-il dit ?

— Votre nom.

— Et pas le sien ?

— Ce n'était guère l'endroit pour faire les présentations, ma belle enfant.

— Était-il français ?

— Je n'ai pas eu le temps de lui demander.

— À quoi ressemblait-il ?

— À un homme, avec deux bras deux jambes, quelle question. »

Elle continue à défaire sa valise avec nonchalance. Chacun de ses membres bouge comme indépendamment des autres, aucun ne fait de geste droit, mais des cercles, des ondulations. Elle enlève son manteau et révèle un corps de danseuse sous sa robe noire.

« Enfin, tout de même, faites un effort, était-il blond ? insiste Eva.

— Il y avait tellement de monde, la foule poussait... Je ne l'ai vu qu'une seconde. Dans mon souvenir, il était blond. Ou brun. Certainement pas roux.

— Eh ben, on sait que c'est pas un rouquin cul-de-jatte, c'est déjà ça, ajoute Suzanne.

— Je ne sais même pas s'il avait des cheveux, maintenant que j'y pense. Mais il avait une mâchoire...

— Sans rire, laissez-moi deviner, une bouche et puis deux yeux ? continue Suzanne.

— Carrée. Il était si grand, c'est tout ce que j'ai vu », conclut-elle.

Eva n'a plus de jambes. Louis, c'est Louis, pense-t-elle.

« Donnez-moi la lettre, lâche-t-elle dans un cri rauque.

— Sitôt que vous m'aurez dit où est Figaro ! Savez-vous où il est ? demande l'inconnue, inquiète, se tournant vers Suzanne.

— Il joue aux cartes avec Tartuffe, et y a Dom Juan qui va pas tarder à arriver, lui répond cette dernière.

— Figaro, c'est mon mari, répond-elle d'un air détaché. Bianca Tarkow, c'est mon nom. Nous arrivons de... Peu importe, après tout ! Mon mari est rabbin, nous avons été séparés, pensez-vous que je pourrai le revoir ? »

294

Bianca a quarante-quatre ans et le temps n'a pas osé entacher sa beauté. Originaire du pays de Bade, où elle a grandi dans une famille protestante luthérienne qui a pétri d'humilité la richesse de son ascendance, elle est comtesse. Elle a épousé un Hongrois juif orthodoxe qui s'appelle Bertold, mais qu'elle appelle Figaro, car elle l'a rencontré lors d'une représentation à la Scala de Milan, où il apprenait le chant. Elle avait trouvé ensorcelante sa voix, quoiqu'elle ne fût pas tout à fait juste et qu'il manquât de coffre, mais il était animé par quelque chose de divin. Ainsi, elle avait fait inscrire dans leurs vœux de mariage qu'il ne réserve sa voix qu'à ses oreilles, et qu'il chantât tous les soirs au coucher un air pour sa femme.

« Oui, mesdames, je puis le dire sans rougir, je suis la seule à faire chanter mon mari !

— Ici les hommes sont internés dans les îlots qui leur sont réservés, de l'autre côté de la route. Il n'y a pas de travaux forcés, ni d'exécutions, vous le reverrez bientôt, dit Lise, qui se veut rassurante.

— Heureuse nouvelle ! »

Bianca se déshabille pour mettre sa chemise de nuit, et, tandis que les autres femmes se contorsionnent sous d'épais vêtements pour ne pas exposer au froid ou au regard d'étrangères une parcelle de peau, elle parle tout en laissant tomber sa robe, ses sous-vêtements. « Ah, mes enfants, mes enfants, comment faites-vous pour survivre entre femmes, sans la présence des hommes ? » Eva, Lise et Suzanne sont assises tandis que Bianca parle, nue, debout, appuyant ses mots de gestes amples. À hauteur de l'entre-jambe de la comtesse, elles restent bouche bée, si bien qu'Eva en oublie sa lettre pliée dans ses doigts : il est si fourni et dûment taillé que l'on dirait un manchon, une chute de son manteau de vison posée là. C'en est indécent, mais sur elle, c'est le comble du chic. Elles ne peuvent détourner les yeux de cette barbe presque virile qui semble leur parler. « Que vais-je devenir ?

— Enrhumée, dit Suzanne, qui l'incite à se rhabiller.

— Oh, je ne crains pas le froid. Ce n'est pas une réalité, mais une simple sensation, dont il faut se distancier. C'est une philosophie d'Asie que mon maître indonésien m'a apprise.

— On s'inquiète pour en bas, mais visible-ment c'est la tête qui s'est enrhumée, marmonne Suzanne à Lise.

— Vous ne connaissez pas le prince Raden Mas Jodjana ? Je suis son élève depuis une dizaine d'années. Il m'a initiée à la danse mys-tique de Java. C'est un véritable prince, vous savez, il a été élevé à la cour de Java, il est le descendant de Sultan Sepuh, souverain de la principauté de Yogyakarta.

— C'est sûr que ça change tout, et que ça justifie la mouflette à l'air, ironise Suzanne, qui l'a prise en grippe.

— Je l'ai rencontré à Berlin, où il se produi-sait. Il fallait le voir, sous son masque khmer, réaliser sa danse de Kelana, incarnant un cheva-lier à la recherche de sa belle, guerroyant dans les airs. Il était beau, exotique, sa peau ambrée bougeait comme une liane sous des tissus ocre et rouges. C'était bien plus que de la danse, c'était de la prière. J'ai eu comme une révélation ! Par son mouvement, on pouvait deviner les respirations de son être, ses gestes livraient son histoire, ses craintes, ses désirs. On aurait dit un vrai radja sur scène. Nous avons fait ensemble le tour des capitales européennes… Tout cela pour finir ici ! Ah, les enfants, les enfants, l'univers est un habile savant !

— Si vous avez des bouffées, pas besoin de vous déloquer pour sentir les courants d'air. Niveau aération, on est ici servies façon palace, continue Suzanne.

— Je sens votre agacement. Vous êtes trop engoncée, c'est pour cela. Vous ne connaissez pas encore l'enseignement de Jodjana. Nous gardons trop de choses à l'intérieur de nous et sous nos vêtements ! Par un simple geste, une inclinaison de la tête, un doigt relevé, l'homme transforme ce qui l'entoure et développe sa conscience. Libérer son mouvement, faire de son corps l'instrument de sa libération, voilà le secret de la santé ! »

Il pleut toujours, dans la cuvette des Pyrénées, une goutte lui tombe du toit sur le front, elle éternue, Grumel fait son entrée dans la baraque 25, Eva cache sa lettre dans sa paillasse. Il tombe nez à nez avec Bianca, totalement nue. Il ne peut en détacher son regard, étrangement tétanisé par la soudaine force qui dépasse sa propre obscénité. Grumel, qui venait en conquérant, se retrouve vaincu. Suzanne, que le rire a sauvée de la folie mais pas du traumatisme, plante ses ongles dans le bras de Lise et se fait dessus.

Bianca, sans perdre de sa superbe, le fixe comme un intrus. Grumel baisse les yeux et part sans mot dire.

« C'est un violeur, lui dit Eva, pour expliquer la réaction de Suzanne.

— Ah, mes enfants, cela ne m'étonne pas. Encore un homme qui refuse de maîtriser ses mouvements et d'apaiser sa conscience ! »

Elle se saisit de son manteau de fourrure et s'en couvre.

« Nous, les femmes, sommes plus promptes à le faire. Mais eux ont un organe qui leur donne trop de fierté là où ils ne devraient avoir qu'humilité. Ils doivent composer avec, transiger en permanence sitôt qu'ils se sentent diminués ou augmentés. C'est un fauve, tapi, qui ne pense qu'à bondir, montrant parfois les crocs à la main qui le nourrit. Il fait la moue, s'étire, pendouille, dès lors qu'on ne lui voue pas une adoration exclusive. C'est un sexe capricieux et conquérant que le leur, mes enfants, mais il ne faut pas en avoir peur. Moi, quand j'en vois un, je le regarde droit dans les yeux et je lui fais comprendre sa place. » Elle disait vrai. Plus jamais Grumel ne viola une des femmes dont il avait la responsabilité. La puissance de cette créature nue s'est imposée à lui.

L'ampoule s'éteint. La baraque sombre dans le sommeil, Eva profite du calme pour ouvrir le pli donné par Bianca.

> *Ton passé t'a retrouvé*
> *Amour d'un jour toujours se sait.*
> *Bientôt les tristes souvenirs disparaîtront.*

Viendra le temps d'une nouvelle saison
Te délivrer du passé qui t'aura pardonné.

Elle retourne le papier dans tous les sens, le respire, rien d'autre que ce poème qu'elle tente de déchiffrer, y voyant d'abord preuve de fidélité, puis un adieu. Oui, c'était bien Louis ! Il sait pour Aleksandr ainsi que pour Helmut ! Il est venu jusqu'à Oloron pour lui dire qu'il la quitte, qu'elle doit l'oublier. Jamais il ne lui pardonnera de lui avoir caché son terrible secret. Sinon, comment expliquer qu'il n'ait pas tenté de la voir et de lui parler, alors qu'il est venu si près d'elle ?

Lise essaye de la réveiller. Eva ne bouge pas. Ses yeux sont ouverts, elle vit, mais c'est tout, le reste est livré à la catatonie. Sa main gauche froisse le bout de papier.

« Un rat trompette lui a peut-être mangé le cerveau, dit Suzanne. Il a dû se faufiler dans la baraque, gratter le sol à la recherche de miettes, monter sur sa paillasse, arriver jusqu'à elle, se lancer dans le labyrinthe de l'oreille et y entrer. Et il a fait un carnage. Un festin de matière grise. Moi, avant la guerre, je mangeais bien de la cervelle, pourquoi lui n'aimerait pas ça ?

— Va donc faire visiter le camp aux nouvelles. »

Lise la congédie. Depuis leur rencontre au Vélodrome d'Hiver, la force d'Eva allait de soi. Elle était devenue son roc, la main qui l'aidait, la montagne qui la protégeait. Sa présence donne du relief à l'horizon, soutient le ciel et l'empêche de s'effondrer sur elle. « Eva, dis-moi ce que tu ressens, je t'aiderai. » Mais Eva semble coupée du monde extérieur. Lise éclate en sanglots sur le corps inerte de son amie. « Eva, dis-moi ce qu'il faut faire, ne me laisse pas. Je ne peux pas être toute seule sans toi. J'ai besoin de toi, mon enfant et moi avons besoin de toi, tous les deux. Viens, allons nous réfugier devant notre montagne chérie, la neige s'est mise à tomber, la recouvre de crème immaculée. Je t'en supplie, regarde-moi, dis quelque chose. »

Bianca revient de la toilette matinale, où il faut désormais disputer l'eau à la glace.

« Laisse un peu d'air à ton amie, dit-elle en prenant Lise par l'épaule pour l'écarter d'Eva.

— Je vais appeler Elsbeth.

— Elle n'a pas besoin de médicaments. Elle souffre, mais elle n'est pas malade. Les grandes douleurs demandent de grands combats que l'âme doit livrer seule. »

Elle attache ses longs cheveux en chignon, relève ses manches et commence à frotter lentement les bras d'Eva de ses mains. Elle roule la peau sous ses doigts, s'appesantit sur les reliefs, frôle à peine les articulations, déplace les tendons, brasse les muscles, remonte de ses coudes vers ses épaules, qu'elle dénude. Elle découvre par petits bouts, en les pétrissant, ses pieds, puis ses mollets, ses jambes. Le visage d'Eva est fermé. On peut apercevoir comme une saillie l'arête des mâchoires serrées.

« Beaucoup de ce qui se passe en nous est indicible, laisse-lui un peu de temps, tout finit par s'apaiser. »

Eva ferme les yeux, le visage détendu.

« Il nous faut une occupation, ni le corps ni l'esprit ne peuvent rester en bonne santé dans une telle oisiveté et une telle puanteur. Voir tant de beauté rongée par le froid et l'ennui, ce n'est pas humain ! Que faisiez-vous de vos journées jusqu'à présent ?

— Nous avions un cabaret », répond Lise, sans quitter Eva des yeux.

Le visage de Bianca s'éclaire.

« Il faut le relancer !

— C'est impossible.

— Qu'est-ce qui vous en empêche ?

— Deux amies de notre troupe sont mortes.

— Je suis sûre que cet endroit ne manque pas de talents.

— La baraque qui servait aux représentations a brûlé et le piano a été transporté à l'infirmerie.

— Il suffit donc de transformer l'infirmerie en cabaret.

— Le commandant Grumel n'acceptera jamais.

— Lui avez-vous demandé ?

— Nous n'oserions pas !

— Donc, ce n'est impossible que dans votre esprit, mes enfants. »

Elle met son manteau de fourrure et sort.

« Cette femme n'est pas croyable ! » se plaint Lise auprès d'Eva, avant de s'étendre auprès d'elle, toute la journée, et celles qui suivent.

3

Chaque fois que Grumel voit surgir dans le camp le vison de Bianca, il se met à transpirer malgré le froid. Comme il ne peut la punir de ne plus être maître de lui-même, il punit les autres. Les indésirables doivent frotter l'ensemble des baraques et de l'allée goudronnée à la brosse à chiendent. La température est à présent négative, leurs genoux râpent le sol, elles astiquent mais ne font que déplacer la boue pour la remplacer par une autre. Bianca arrive, la tête haute, telle une impératrice, lance aux gardes qui surveillent l'opération : « Donnez-moi une brosse ! » d'un ton qui fait croire à tous que c'est elle qui impose et non exécute. Grumel accourt pour l'en empêcher : « Mais non, pas vous, madame. » Bianca plante ses yeux d'or dans sa face rougeaude.

« Elles, ce sont des salopes. Des souillons.

— Et s'il me plaît de me souiller avec elles, auriez-vous une objection à cela ? Je tiens à balayer les crottes comme les autres. Donnez-moi une brosse ou je me plaindrai à vos supérieurs.

— Tout ce qu'il vous plaira, madame. »

La noble lignée de Bianca impressionne Grumel tout autant que sa nudité.

« Ainsi, vous voulez donc me plaire ?

— Mais tout à fait, dit-il avec un éclair d'espoir dans les yeux.

— Savez-vous que je suis une femme mariée ?

— Je n'en aurais pas douté.

— À un juif. »

Grumel bredouille des excuses. Il ne sait pas si l'union contre nature de cette noble créature le répugne ou la rend plus mystérieuse encore, comme un territoire aux mains de métèques qu'il devrait délivrer. Bianca sent Grumel vaciller et s'engouffre dans son hésitation.

« Alors, plaisez-moi.

— ...

— Je vous dis de me plaire !

— Mais comment ?

— Ah, mais ce n'est pas à moi d'y répondre, c'est à vous d'y pourvoir. »

Jamais l'esprit de Grumel n'a tant réfléchi en un temps si court, il ne sait plus où donner de la tête. Bianca ne lui laisse pas un instant de répit.

« J'ai un faible pour la danse. Vous aimez ?

— Tout... tout à fait.

— Vous ne verriez donc pas d'objection à ce que j'exerce mon art ?

— Très certainement.

— À la bonne heure, nous allons donc nous produire avec d'autres internées. »

Grumel s'étouffe.

« Le gouvernement de Vichy n'autorise pas les revues indécentes, la satire politique, ou tout art communiste dans les camps de prisonniers.

— Fort heureusement, nous ne sommes pas à Vichy, mais à Gurs. »

Bianca se saisit d'une brosse, se met à genoux face à Grumel et commence à frotter. Le jour s'achève avant qu'elles finissent, chacune retourne, la nuit tombée, à la solitude de ses pensées.

« Que crois-tu qu'il arrivera lorsque nous mourrons ? »

C'est le premier mot qu'Eva prononce depuis trois jours, Lise se précipite pour baiser son front.

« Ne pense pas à cela, nous sommes en vie, toutes les deux. »

Le froid a pris tôt cette année, et même à l'intérieur de la baraque, les lèvres deviennent bleues. On compte cet hiver-là plus de morts à Gurs qu'à Buchenwald.

« Pour combien de temps encore ? Et Louis… C'est terrible de se rendre compte que ceux que l'on imaginait morts sont parmi les vivants, et que ces vivants ne nous aiment plus. J'ai rêvé cette nuit que j'étais morte, et Dieu m'attendait avec une gigantesque balance comme celles que l'on trouve à l'épicerie, pour peser les denrées. Elle était toute dorée, avec deux plateaux suspendus à des chaînes. Il m'a dit de grimper sur l'un d'eux. J'avais du mal à me hisser, j'étais si faible. J'y arrivais et me tenais debout, j'étais nue, si petite et il était si grand, sa barbe dont les poils touchaient le sol était telle une forêt vieille de plusieurs siècles. Sur le plateau de droite, il a placé un enfant qui tenait une partition, un vieillard avec un livre à la main et un piano, sur lequel Louis était juché. Je l'appelais, mais il ne me répondait pas. Leur plateau s'est élevé si haut que je n'en voyais que le fond et ne pouvais plus les distinguer, et moi, je frôlais le sol. J'étais lourde, si lourde. Et Dieu jugeait les hommes au poids de leur âme. Je devais me débarrasser de l'un d'entre eux, pour alléger mon plateau. J'enlevais le piano, mais cela ne suffisait pas. J'enlevais les partitions, mais je ne remontais que de quelques centimètres, et Dieu tenait en son autre main un sablier, d'où s'écoulaient de gros grains roses, à une vitesse effrénée. Je sacrifiais le vieil homme au livre, j'arrivais à la même hauteur que le second plateau, dans lequel il ne restait plus que Louis et l'enfant. Je ne savais qui sacrifier. J'avais peur, j'étais seule. Je voudrais ne plus avoir peur, Lise. Je voudrais que vienne le règne de la joie, où l'on n'ait plus personne à laisser derrière nous. »

Lise l'écoute et garde un moment le silence.

« Il n'y aura pas de balance.

— Y aura-t-il au moins quelqu'un qui nous attendra, ou faudra-t-il encore être seule ?

— Que penses-tu y trouver ?

— Une agora, remplie des poètes qui ont enfiévré les âmes de leurs mots, des philosophes qui les ont animées, des musiciens qui les ont bercées. On s'avancera au milieu d'eux, ils nous guideront tandis que nous marcherons vers un éternel soleil, et soudain, tout ne fera plus qu'un.

— Peut-être qu'il n'y aura qu'un enfant. »

Eva la regarde sans comprendre.

« Oui, peut-être que Dieu est un petit enfant.

— Si tel est le cas, il s'amuse avec nos destinées comme avec une bestiole volante dont il aurait coupé les ailes, afin de voir comment elle peut se débrouiller en rampant.

— Mais il sera si heureux d'avoir quelqu'un avec qui jouer qu'il ne nous jugera pas. Il nous prendra par la main, nous bandera les yeux, nous fera tourner sur nous-mêmes, et nous jouerons à cache-cache dans d'infinis nuages sur lesquels nous tomberons, sans jamais nous faire mal. »

Eva desserre enfin sa main de la lettre. Lise poursuit :

« Je crois que nous sommes nos juges les plus sévères. Je sais pour Helmut, je sais ce que tu as fait. Et ce que j'ignore ne m'effraie pas, car je sais qu'aucun mal ne peut émaner de toi. Je ne te juge pas pour cela.

— Mais nous sommes déjà jugées, autrement nous serions libres. Jugées pour ce que nous sommes, pour ce que nous faisons, pour qui nous aimons. Je peux te le confier, je souhaite parfois la fin de ce monde-là.

— Tu n'as pas de cœur pour dire cela à une femme enceinte ! Tu veux me faire du chagrin et que je perde notre enfant ?

— Je veux simplement parler du temps qui autorise un seul homme à gouverner les autres. Te rends-tu compte ? Un homme pour faire le bonheur de tous, c'est insensé. Et quand il lui vient l'idée de les détruire, plutôt que de les servir, le monde est à feu et à sang. Je voudrais que finisse le temps des dictateurs, ceux qui ont volé la parole pour enflammer l'opinion publique et qui, n'ayant plus d'ennemis à rallier, font la guerre pour s'en faire. Si nous sortons d'ici, que trouverons-nous dehors ? Un monde où la raison a déserté les couloirs des gouvernements, une époque de barbarie. Peut-être que Paris sera à genoux, Rome sera au sol, Berlin ne sera plus. Partout des ruines.

— Elle a raison, tu sais.

— Qui donc ?

— La Bianca. Elle a raison... Nous devons relancer le cabaret. Sans cela, nous ne survivrons pas à cet hiver. »

10 décembre 1940

Ma chère tristesse, ma chère douleur,

Parfois je pense t'avoir distancée, par les rencontres, les années, et au détour d'un silence, d'une lumière qui s'éteint, tu reparais, tu emportes mes efforts dans une danse où tournoient mes vanités. Par ma taille et ma main, tu conduis notre valse, je ne vois plus que toi, tout ce que j'ai réussi disparaît, les instants de bonheur que je t'ai volés ne sont plus, tu serres ma poitrine un peu plus fort, tu sais tout de moi.

Il me faudrait deux cœurs, un pour te supporter, l'autre pour aimer encore, mais vois-tu, je n'en ai qu'un, il est déjà fatigué, j'aimerais tant que tu cesses de le faire danser.

Ton E.

4

« Mettez donc un peu plus de maquillage tant que vous le pouvez, mes enfants ! Ce soir, c'est fête. »

Bianca tournoie devant les filles. Le soir de Noël 1940, dans la baraque 25, les artistes du Cabaret bleu mettent la dernière touche à leur tenue. Elles représentent non pas trois âges de la femme, mais trois âges de l'Europe, ses folles espérances, ses grandes misères. Bianca est l'héritière des nobles éclairés d'une Prusse qui n'existe plus. Eva est une fille de Weimar, la République disparue, celle du romantisme, des voyageurs contemplant les mers de nuages. Lise est celle de l'inflation et du chômage, de l'Europe qui a peur des juifs, celle de la trahison. Suzanne est la France qui n'a peur de rien et rit encore, même battue ou affamée. Elle a prêté ses bigoudis, si bien que toutes portent les cheveux ondulés. On les croirait sœurs, tant leurs expressions ont fini par se ressembler.

C'est la grande réouverture depuis que la mort a moissonné Sylta puis Dagmara et que Davergne a disparu. Elles n'ont pas réellement de costumes. En hommage à Sylta, elles ont décidé de se présenter dans leurs vêtements usuels.

« Il nous faudrait quelque chose qui fasse parler de nous, lance Eva.

— Mais nous n'avons rien ! Nous avons usé tout ce qui pouvait l'être, et nous avons mangé le reste, dit Lise.

— Prenez donc ma fourrure ! dit Bianca.

— Une fourrure pour quatre, ça fait léger, dit Suzanne.

— Léger, mon manteau ? C'est du sconse, qui vient d'Amérique.

— On peut le dire avec l'accent américain, ça reste de la mouffette, y a pas de quoi jaser. Moi, si Pedro pouvait, il me couvrirait de mouffette aussi.

— Il nous faudrait plutôt un nom, quelque chose qui sonne bien.

— Je sais ! Nous serons les Camping Girls ! explose Suzanne, tandis que les autres lui rient au nez. Ben quoi, vous avez entendu la Bianca, tout ce qui sonne anglais, c'est à la mode. Des filles dans un camp, c'est drôlement tarte, des Camping Girls, c'est chic.

— La petite a raison, il faut marquer les esprits. L'avenir, c'est l'Amérique. »

Les yeux de Suzanne, forte de l'aval de Bianca, brillent si fort qu'aucune n'a le cœur de refuser. Jamais depuis leur arrivée elle ne s'est plainte. Grâce à sa joie de vivre, ses camarades de baraque ont continué à croire, même dans les pires moments, à la bonté indécrottable du genre humain.

« Si ça se trouve, après la guerre, on ira à New York, et on se produira… Eva et ses Camping Girls, répète Suzanne, émerveillée. Parce que moi, maintenant, la ferme, ça me dit plus trop rien. On raconterait notre histoire aux reporters, comment une Allemande, une juive et une Française ont vaincu la guerre et ont traversé l'Atlantique ! Ils nous prendraient en photo ! Pour sûr, on serait applaudies.

— Et que fais-tu de Pedro ? la taquine Eva.

— Il sera notre imprésario, pardi.

— Alors soit, mes amies, ce soir nous sommes les Camping Girls », concède Eva.

On frappe à la porte de la baraque qui est à présent si imbibée d'eau que la main s'y enfonce comme dans du carton-pâte. Ernesto a été libéré pour la trêve de Noël. Il court vers Lise, se jette à ses pieds et couvre son ventre de baisers. Ernesto est épris de Lise, plus qu'aucun homme dans ce camp n'aima jamais une femme. Combien de fois l'a-t-il vue en tête à tête ? Si peu. Ils ne connaissent pas la langue maternelle de l'autre et ânonnent tous deux, pour se comprendre, un mauvais français, ce qui réduit leur conversation à l'essentiel. Et ce qu'ils ne comprennent pas, ils le confient au vent.

« Dis donc, Ernesto, tu parles anglais, toi ? demande Suzanne pour vérifier s'il peut faire partie de son nouveau plan. Parce qu'il va falloir t'y mettre », lui glisse-t-elle avec un clin d'œil.

Ernesto sort des poches de son pantalon deux petits objets. Il a sculpté, dans un os de poulet qu'on lui a fait passer depuis les cantines, une bague pour Lise. Blanche, presque ronde, avec des rainures gravées qui ressemblent à des pétales. Il a, sur le dessus, réussi à sertir un petit caillou. Il a passé des heures à marcher dans l'îlot, retournant la boue comme un animal, pour finalement trouver une pierre qui, d'avoir reposé dans l'argile, en a des reflets verts, traversée par des veines foncées et des éclats de bleu. Il l'a polie et travaillée, limée, taillée, pour qu'elle rehausse le doigt de Lise. L'amour, il ne sait pas bien le dire, mais il sait l'offrir. Dans son autre main, une toupie en bois, gravée sur son pourtour de petites étoiles. La pointe est recouverte d'une fine couche d'aluminium martelé. Il la tend à Eva et lui dit simplement : « Tous les petits enfants doivent avoir un cadeau à Noël, pour savoir que quelqu'un pense à eux. » Dans ce camp où il est officiellement interdit de communiquer entre hommes et femmes, tout se sait. Eva saisit la toupie, amusée à l'idée d'envoyer à Helmut, qui a dépassé le temps des toupies, un peu de cette enfance qu'elle n'a jamais connue. Elle n'était pas obligée d'être une mère ou rien. Il y avait entre les deux une gamme à inventer de toutes pièces, comme cette petite toupie.

Dans la baraque l'As de Cœur, Elsbeth installe sur les bancs des tasses en émail blanc qu'elle remplit de lait chaud envoyé par le Secours suisse, et dispose une tranche de pâté et un morceau de chocolat dans des assiettes en fer-blanc flambant neuves. À part une, à laquelle il manque un bout. Des malades sont allongés, d'autres s'assoient à côté, la baraque est bientôt comble. La soirée est réservée aux internés, Grumel n'a pas autorisé que le spectacle soit ouvert au public extérieur, refusant que la réouverture du cabaret s'ébruite. Il n'y a pas d'estrade ni de décors, seulement les affiches des montagnes suisses et le drapeau rouge et blanc, qu'Elsbeth a placé au centre du mur afin qu'il trône comme un étendard de liberté. Jamais elle n'a été aussi fière de sa vie. Non seulement elle nourrit ses malades, leur prodigue ce qu'elle peut de soin, mais ce soir elle fait en sorte qu'ils se sentent vivants. Elle jette un dernier coup d'œil à la baraque, tout est prêt. Sur le piano, les Espagnols ont posé un angelot en bois, sur lequel ils ont modelé des ailes d'argile, séchées au feu de bois. Elle s'approche et peut lire écrit dans un cartouche, « Elsbeth, Ange de Gurs. »

Eva s'assoit au piano. Cela fait si longtemps, elle a peur d'avoir oublié. Son corps, lui, sait. Son dos se courbe un peu, ses coudes remontent, ses mains se mettent à voler, tandis que ses pieds écrasent les pédales dorées. Lise s'installe et danse la vie de Marie, que Bianca lui a enseignée. Elle se déplace, tombe en prière, porte un enfant invisible, donne naissance sur scène, portée par la musique d'Eva, nourrit son nouveau-né. Une juive danse devant un public allemand les moments fondateurs de la Vierge du christianisme, un soir de Noël, dans l'infirmerie protestante d'un camp de prisonniers français. Suzanne entre en piste et interprète, accompagnée de Bianca, une chanson de son cru, les *Folles Heil Bergères*.

Effaçons nos chagrins,
L'espoir n'est pas vain !

Je n'connais pas d'problème,
Qui résiste à ma rengaine

Il faut pour cette année,
Prendre la vie du bon côté,
Celui-là qu'est libre,
Car l'autre est occupé !

En France certains disaient
« La jeunesse manque d'occupation »,
Ils ont maintenant satisfaction !
On l'est jusqu'à Cambay !

Qu'est-ce que je vous disais,
Prenons la vie du bon côté,
Celui-là qu'est libre,
Car l'autre est occupé !

Si t'as le cafard,
Et que t'as faim,
Sois pas geignard,
Tape-le de ta main,
Un peu de sel,
Voilà le festin !

C'est pas bien compliqué,
De voir la vie du bon côté,
Celui-là qu'est libre,
L'autre est occupé !

Bianca arrive, recouverte de la tête aux pieds, de tous les voiles et écharpes qu'elle a pu trouver chez les internées, et entame une danse hommage à Shiva, tandis qu'Eva interprète la *Valse des fleurs* de Tchaïkovski. Sa tête bouge de gauche à droite comme détachée du reste du corps à chaque ondulation, faisant trembler les foulards comme des serpents. Ses doigts forment des arabesques. L'exotisme et la lenteur de ces gestes-là ont quelque chose d'hypnotique qui met toute la baraque en tension. Ses pieds nus griffent puis caressent le sol, ses bras embrassent puis repoussent le public comme un ennemi, son visage souffre puis jouit, Bianca est en transe, mime l'éclosion des fleurs, ses longs cheveux balayent son torse. Elsbeth, dans un coin, se demande si c'est un spectacle tout à fait convenable pour un soir de Noël, mais ne peut détacher ses yeux du corps de Bianca, créé pour être livré au regard.

Eva quitte le piano pour le final, les Camping Girls se réunissent sur scène et se donnent la main pour chanter *a cappella*, sans artifices, le clou du spectacle qui est désormais leur chant de ralliement.

> Je suis montée si haut,
> Que je croyais voler,
> Je suis tombée si bas,
> Les os brisés.
>
> Au sol on m'a maintenue,
> Je me suis débattue,
> Puis me suis relevée,
> Et alors j'ai dansé.
>
> J'ai l'allure buissonneuse,
> La démarche boiteuse,
> Mais essayez toujours de l'arrêter
> Rien ne retient ma Liberté.

5

La première contraction est comme une lance plantée en traître dans le ventre de Lise. Sa grossesse apportait une sérénité aux femmes de la baraque 25, la certitude que, malgré l'écroulement des châteaux de cartes autour d'elles, elles seraient épargnées. Cette grossesse semblait éternelle. Lise repoussait dans son esprit l'idée des couches. C'était quelque chose de lointain, sanglant et confus. Elle espérait chaque jour que le sort ne la laisse pas enfanter sur une paillasse, dans un camp. Mais le 2 avril 1941, l'enfant en a décidé autrement. Happée par les représentations au succès grandissant du Cabaret bleu, aucune n'a fait de préparatifs pour le grand événement, ni aidé la future mère à en calculer la date. Elles se sont entretenues dans un manque de connaissance qui donne à l'enfant une sorte de pouvoir, une existence propre. Il viendrait quand il se sentirait prêt, cela ne dépend ni d'elles ni de la science, mais de la magie.

Une deuxième contraction survient, saisissant comme un éclair son ventre jusqu'à sa colonne vertébrale. Elle s'accroche au rebord du baquet dans lequel elle fait sa toilette, et crie d'une voix étouffée. Eva n'a pas la moindre expérience en ce domaine, pas plus que les Indésirables qui restent de leur convoi. Heureusement, deux cents juives, arrivées de Bade et du Palatinat, profitent elles aussi de l'eau pour se laver. Certaines ont placé des réchauds sous les auges afin que le mince filet qui s'y écoule ne soit pas saisi par le froid, la température est encore négative, le printemps se fait désirer. « Aidez-nous ! » hurle Eva, démunie face à cette situation inédite. Une rumeur agite les femmes. L'une d'elles s'appelle Gabrielle, elle vient de Karlsruhe et a été internée avec deux des cinq enfants qu'elle a mis au monde, on la désigne comme étant la plus qualifiée.

Une troisième contraction se fait sentir, qui commence comme un pincement intérieur puis se mue en une douleur franche. Gabrielle laisse son linge sur les barbelés, qui, sitôt posé, se durcit de cristaux luisants.

« Elles sont très rapprochées, le travail a commencé. A-t-elle perdu les eaux ? » demande-t-elle, fixant Lise, que la question affole, tant elle ne s'attend pas à perdre quoi que ce soit.

Eva regarde par terre, machinalement, à la recherche de l'eau qui se serait échappée. Il n'y a que cela, de la boue saumâtre et de la gelée ! Lise ne tient pas en place, elle a besoin de promener son mal et fait le tour des lavabos en traînant les pieds.

Une quatrième arrive, accompagnée de la sensation d'avoir deux fonds de poêle brûlants collés aux joues. Sa langue emplit sa bouche, il lui faut de l'eau ! Lise se penche au-dessus des cuves, laissant tremper ses cheveux, et lape comme un animal assoiffé. Le liquide glacé lui retourne l'estomac, elle se plie en deux pour vomir, les deux femmes la relèvent et, la soutenant de leurs bras, la conduisent à la baraque de l'Ange. Hélas ! Elsbeth est partie à bicyclette faire sa quête hebdomadaire auprès du curé. Il n'y a là qu'une religieuse qui fait du catéchisme à quelques juifs, dont la plupart ne parlent guère français, mais profitent de la chaleur, du pain et du lait qui sont donnés contre des amens.

Une cinquième pointe. Eva fait lever les pieuses personnes et allonge Lise sur une couverture.

« Il te faut respirer lentement, il faut laisser aller », l'encourage Gabrielle.

Lise s'arc-boute. Elle est d'un rouge indescriptible, on dirait qu'elle veut retenir le bébé en elle. Il est neuf heures du matin, et elle a l'impression qu'on l'a placée dans un étau dont le Diable tournerait la manivelle. « Ernesto... Ernesto », finit-elle par lâcher entre ses dents dont Eva jurerait qu'elles sont rouges, elles aussi. Des grosses veines bleues strient son front.

« Mais c'est impossible, les hommes ne peuvent plus sortir sans autorisation spéciale du commandant ! »

Une sixième déchire ses entrailles comme une outre que l'on perce, les yeux de Lise se révulsent, elle a les jambes trempées.

« Le travail commence, l'avertit Gabrielle.

— En plein pendant le mien, s'offusque la religieuse, c'est du propre. Cette dame est-elle mariée ? »

Eva fait signe que non.

« Sait-elle au moins qui est le père ?

— Il est ici, ma sœur, dans l'îlot des hommes. »

Eva ne supporte pas de voir son amie souffrir ainsi. Le visage d'Ernesto la sauverait. Elle court à la grille de son îlot, supplie le garde, au nom de l'humanité, de le laisser venir à l'infirmerie, une heure seulement. On ne peut déroger aux ordres, un détenu ne peut se rendre à l'infirmerie que si son état l'exige.

« Elsbeth lui fera un mot justifiant de la nécessité de soins urgents, votre responsabilité ne sera nullement engagée. »

La sentinelle se montre inflexible. Eva, désemparée, hurle le nom de celui que l'on empêche d'être père. Elle met tant d'âme dans ce cri qu'on doit l'entendre jusqu'au village voisin. Ernesto s'approche de la grille, recouverte de branchages, si bien qu'ils ne peuvent se voir. Elle adresse ses mots à l'aveugle : « L'enfant arrive. Elle a besoin de toi. » C'était pour ce moment qu'il avait réussi à tenir. Le garde se sentant menacé le met en joue. Les Espagnols sortent de leurs baraques. Un grondement se fait entendre. Eva voit arriver l'instant où il sera fusillé pour sédition. « Ernesto, calme-toi, nous allons trouver une solution. » À pas rapides, elle file vers l'infirmerie, et retrouve Lise, debout sur ses jambes branlantes, ses grands yeux bleus demandant pourquoi il n'est toujours pas là.

« Tire. » Ernesto provoque la sentinelle. Avec un peu de chance, il sera blessé et devra être conduit à l'infirmerie. Mais le garde se contente de le tenir en joue, il attend les consignes. Enragé, Ernesto fait demi-tour en direction des baraques, suivi d'une vingtaine d'Espagnols qui marchent dans ses pas. Il fouille son paquetage sans ménagement, envoyant tout voler à travers la pièce, sort un tournevis et le tend à un camarade. « Tiens-le à la moitié, pour ne pas l'enfoncer en entier, sinon tu me tueras. Plante-le, juste là. » Ernesto lui montre le côté de son ventre, au-dessus des hanches, sur la gauche. L'autre le regarde, pensant à un coup de folie, et détale en abandonnant l'arme. Ernesto ramasse le tournevis dans un mouvement de fierté. Il relève sa chemise grise, considère son abdomen, entreprend de se tâter. Il essaie, en rentrant son ventre, puis en l'emplissant d'air, de sentir si la peau cache un organe vital. Il bloque sa respiration en tâchant de relâcher ses muscles, afin de n'offrir aucune résistance au coup qu'il va s'infliger, ferme les yeux, prêt à l'impensable.

Eva, dans la baraque d'Elsbeth, refuse de rester impuissante. Elle regarde la sœur qui, au fond de la baraque, continue à entretenir ses pauvres Israélites des bienfaits du Nouveau Testament et de l'Enfant Jésus. Elle a une cinquantaine d'années, le visage humble durci par les privations et les renoncements. Son voile noir tombe à ses pieds. Autour de son visage, une cornette descend jusqu'au cou, lui donnant l'air rigide d'une statue du Moyen Âge. « J'ai trouvé comment le faire venir », glisse Eva à Lise. Elle s'avance vers la religieuse, et la supplie. « Mais enfin, le père est catholique ! » dit-elle bien fort, comme pour renforcer l'argument. Lise acquiesce, le souffle coupé. La religieuse sursaute, ne dit mot mais se hâte vers la sortie. La femme en noir se présente, chapelet à la main, devant le garde de l'îlot d'Ernesto.

« J'ai appris que certains prisonniers avaient un besoin urgent de retrouver le chemin de Dieu, dit-elle au garde.

— Ma sœur, c'est le curé qui visite normalement les internés, je ne peux faire entrer une femme...

— Mon fils, le curé est absent, si l'un d'entre eux commet l'irréparable, voudriez-vous contrarier la volonté de Notre Seigneur ? »

Le garde hésite, puis ouvre la grille et laisse entrer l'ombre de Dieu. Elle avance à contre-cœur, guidée par sa foi plus que par générosité. On la conduit jusqu'à Ernesto, qu'elle trouve le tournevis à la main. Croyant le malheureux prêt à mettre fin à ses jours, privé du bonheur de pouvoir assumer sa responsabilité, elle est prise d'une immense compassion à son égard.

« Jeune homme, la femme avec laquelle vous avez fauté demande votre présence. Il est de votre devoir de l'assister et de reconnaître votre enfant. »

Elle déboutonne son voile par le côté, défait sa cornette puis remonte son long vêtement noir et disparaît à l'intérieur. Elle tend le tissu, joignant l'injonction au geste : « Revenez sitôt l'enfant né, je vous attendrai ici. » Elle renonce, pour lui, à nombre de ses principes. Ernesto lui embrasse les mains en remerciant la Vierge Marie.

« Dépêchez-vous, la Vierge est en train d'accoucher », lui dit-elle d'un air pincé.

Ernesto enfile l'habit qui lui arrive à mi-mollets, laisse tomber le voile sur ses sourcils, recouvre son front et marche vers la grille. Il baisse le regard, joint les mains en se présentant devant le garde, qui ouvre en le voyant paraître, marche à grandes enjambées jusqu'à l'infirmerie, se rue au chevet de Lise, et pose leurs deux mains enlacées sur son cœur.

« Je vais aller voir en bas », annonce Gabrielle, qui a revêtu la blouse blanche d'Elsbeth, s'est lavé les mains et a ramassé ce qu'elle trouvait de draps.

Lise pousse, Ernesto pleure, Eva se tient en retrait, mais ne quitte pas Lise des yeux.

« Je sens la tête », dit enfin Gabrielle. « La tête ! » répète Ernesto, fasciné. « Je vois les oreilles », lance-t-elle au petit groupe. « Les oreilles ! » répète Ernesto, abasourdi. « Les épaules arrivent. » « Les épaules ! » s'émerveille Ernesto, qui s'étonne à chaque nouvelle partie du corps. Le contact de l'air frais plonge l'enfant dans un monde en guerre, le monde des vivants.

À midi enfin, sous un soleil encore froid, face aux sommets suisses noirs et blancs, l'enfant du camp est né, c'est un garçon. Gabrielle le lave à l'eau tiédie et l'enroule dans un drap aux rayures bleues. Elle le tend à Eva, qui recule d'un pas ; elle ne sait pas comment s'en saisir et craint de l'abîmer. Les bras d'Ernesto avancent, il l'enlace et le ramène contre lui. La petite créature, encore aveugle, ouvre vers lui deux grands yeux noirs remplis d'illusions et de vérité.

« À quoi est-ce qu'il ressemble ? demande Lise, allongée.

— Au bonheur sur terre », répond Ernesto dans un sourire, tenant l'enfant fermement de ses deux mains à l'horizontale. Il le dépose sur son sein. Enfin, elle peut le contempler. Sa peau est rose, ses cheveux noirs dressés sur le devant de sa tête, il bat des pieds, il semble électrique, monté sur ressort. Il tient ses poings serrés, et ne les ouvre que pour saisir le doigt qu'elle y promène, et ne plus le lâcher. Il est déjà en résistance. Il y a, contenu en ce si petit corps, toute la force de l'humanité, la fragilité des hommes.

« Comment allez-vous appeler ce jeune homme ? » demande Gabrielle. Ernesto regarde Lise, elle se tourne vers Eva, personne ne sait. C'est le temps de la joie, non celui des décisions. Le petit visage fait taire toutes les questions.

Elsbeth entre, tout le monde lui sourit, elle leur renvoie une mine horrifiée. Sur le chemin du retour, heureuse de sa récolte de beurre et d'œufs, elle s'est arrêtée à l'administration pour faire part au commandant du manque de médicaments de première nécessité. Ainsi est-elle suivie de Grumel qui lui a emboîté le pas. Le voilà saisi de stupéfaction devant l'Espagnol rebelle, attifé des vêtements d'une nonne ! Ah, pense-t-il, le soleil ne noircit pas que la peau, il fabrique la racaille ! Grumel se saisit de son sifflet pour appeler du renfort et porte sa main droite à sa ceinture, où son arme est rangée. Ernesto en profite pour bondir sur lui comme un fauve, et, d'un coup de poing, l'assomme. Il lance un regard désespéré à Lise. Il doit fuir ou il sera fusillé.

« Pardonne-moi, je ne serai pas loin. Je vous retrouverai. » Lise esquisse un pâle sourire d'adieu, Ernesto disparaît à travers les baraques et saute dans la charrette qui part en direction du cimetière, se noie dans une mer de membres froids. Elles ne sont plus que deux à supporter le fait d'être désormais trois. Ainsi en va-t-il de la danse des êtres, en gagne-t-on un qu'il faut déjà dire adieu à un autre.

3 avril 1941

Mon cher enfant,

Hier tu es né. Hier tu es né, et moi aussi. Lequel des deux a réellement donné la vie à l'autre, je ne le sais plus très bien. J'étais une femme au vide immense jusqu'à ce que tu me remplisses de joie, jusqu'à ce que tes yeux s'ouvrent. Tu semblais fasciné par sa voix grave qui roulait les r, tu le cherchais partout dans la pièce, tournant ton petit visage vers lui, avec tes cheveux hirsutes. Je ne pouvais m'empêcher de rire, petit tournesol suivant le soleil de ses pétales. Mon cher, minuscule enfant, hier tu es né, dans un camp de prisonniers du sud de la France. Cela s'appelle Gurs. Je ne puis te dire ce qui se passa de particulier au jour de ta naissance, nous n'avons pas ici de journaux ni de programmes radiophoniques, je ne sais rien du monde depuis déjà presque un an. Ce jour-là, comme les autres, nous avons survécu, nous avons eu faim, nous avons eu froid, nous avons eu peur mais nous sommes restés droits. Tu es né ce jour-là, dans un pays éventré. Tu as l'esprit de contradiction, j'en mettrais ma main au feu, si on en avait ici. Ton père est le premier qui t'a bercé. Il a bravé beaucoup de dangers pour être là au moment le plus important de ta vie, et j'espère qu'il le sera encore dans vingt et un ans, le jour de ta majorité. Ne pense jamais qu'il t'a abandonné, si les événements qui nous entourent se saisissent de lui plus tôt que tu ne le voudrais. Mon enfant, tu es maintenant assez grand pour le savoir, les papas ne sont guère faits d'une matière indestructible, ils vieillissent et les mamans aussi. Mais aujourd'hui, je ne peux penser à ton avenir qu'en l'imaginant radieux. Le monde sera en paix et tu seras libre. Je voulais devenir journaliste avant que nous ayons dû nous exiler, témoigner de mon temps, de la vie des autres si pressée chaque jour qu'elle est bientôt terminée. Et toi, quel sera ton grand rêve ? Je ferai tout pour être là le jour où tu l'accompliras, et pour t'y amener, chaque jour un peu plus près. Mais si je ne le peux pas, s'il te plaît, ne m'en veux pas. Sache que moi non plus je ne t'aurai pas abandonné. Si je suis dans la cuisine quand tu liras cette lettre, viens donc déposer un baiser sur ma joue et dis-moi que je suis la plus sotte des mamans d'ainsi te donner du chagrin, le jour de ton anniversaire. Si je n'y suis pas, dis-toi que je continue à t'aimer. Tout ne se passera pas comme tu l'aurais souhaité. Cela sera parfois injuste, tu auras envie de crier, tu maudiras le ciel qui t'enlèvera des choses que tu aimais, tu verras la terre les avaler. Puis ta tête tournera pour un sourire à peine croisé, et tout sera oublié. Mon si petit enfant, dans ces moments-là, je te prie de te rappeler qu'hier tu es né, cela n'était pas prévu, et c'est la plus belle chose qui puisse arriver.

6

« L'enfant n'a pas survécu. Il était trop fragile, et je n'ai pu le réanimer. Voilà pourquoi je n'ai pas jugé nécessaire de venir le déclarer. » Elsbeth tend au commandant Grumel un petit paquet de trente centimètres de long enroulé dans un drap ensanglanté.

« Vérifiez par vous-même si vous en avez le courage. »

Le commandant rentre son menton dans son cou et s'éloigne de la dépouille.

« Un garde se chargera de cette formalité.

— Cette pauvre fille se trouve dans une situation pitoyable, elle a de plus été abandonnée par celui qui l'a mise dans cet état, je vous demande l'autorisation d'en finir au plus vite, insiste Elsbeth, dont la physionomie pure et honnête aurait convaincu la vache de s'affamer face à la souffrance de l'herbe.

— Bien, procédez à l'enterrement, et donnez une ration supplémentaire à la mère », ordonne-t-il avant de quitter l'infirmerie.

À peine Ernesto avait-il franchi les barbelés du camp qu'Elsbeth s'est inquiétée du sort de l'enfant. Les juifs sur le sol français, y compris les nouveau-nés, doivent désormais être recensés. « Si les Allemands arrivent, ils enrôleront les enfants pour les rééduquer et les sépareront de leur mère. » Il avait fallu prendre une décision dans l'instant. Reconnaître cet enfant, et peut-être le perdre à tout jamais, ou nier son existence, en faire un apatride et le sauver. Tandis que Grumel et les gardes ratissaient les environs du camp à la recherche du père en fuite, elle s'était saisie des linges souillés par l'accouchement, les avait rassemblés en une forme oblongue et les avait entourés d'un drap qui ressemblait à un linceul. Elle avait ficelé le tout comme pour le disposer à la mise en bière, tandis que le bébé avait été confié, par la fenêtre, à une juive de Mannheim qui avait quatre enfants en bas âge auprès d'elle, et que l'on appela à voix basse en faisant de grands gestes.

Ainsi, pour les autorités françaises, l'enfant de Lise était mort-né. La privation poussant parfois les meilleures âmes à la délation, son sort devait devenir le secret le mieux gardé du camp. Entre Eva, Lise et Elsbeth, le pacte était conclu, l'enfant resterait à l'infirmerie, où dix autres poupons chétifs étaient abrités. Il sortirait jouer chaque jour à l'air libre, confié à une mère différente, mêlé à d'autres bambins. Elsbeth garderait Lise auprès d'elle, prétextant sa faible constitution le plus longtemps possible, deux semaines au mieux. Puis, pour ne pas éveiller l'attention, elle laisserait Lise le voir pendant les représentations du cabaret. C'était un sacrifice auquel il fallait consentir sous peine de devoir en faire un plus terrible encore. Les premiers temps, sitôt qu'on voyait Lise, les prisonnières lui demandaient : « Te remets-tu de la perte de ton enfant ? » et Lise, qui ne pouvait mentir car elle craignait de lui porter malheur, répondait : « Je l'ai confié à l'Ange, il est auprès de lui. »

Ainsi, la première année passa, rythmée par le cabaret des fins de semaine, qui avait pris une importance capitale, et sans que l'on s'en rende compte, la petite créature eut un an.

*

* *

*Silence, mon enfant, ne pleure pas, mon
    trésor,
Pleurer ne sert plus à rien.
Les ennemis veulent notre malheur,
Il n'y a rien à comprendre.
Les mers ont des rivages,
Même les prisons ont des limites,
Mais dans notre souffrance
Aucune lumière ne filtre.*

*Silence, silence, des sources éclosent dans
    mon cœur.
Jusqu'à ce que les portes soient fermées
Nous devons être muets.
Ne te réjouis pas, mon enfant, ton rire
    pourrait nous trahir.
L'ennemi ne doit pas survivre au printemps,
Pas plus qu'une feuille ne survit à l'automne.*

Laisse les sources couler tranquillement,
Sois silencieux et espère
Que la liberté ramènera ton père.
Dors, mon enfant, dors,
Comme le renouveau des arbres,
C'est la lumière de la liberté
Qui illumine déjà ton visage.

7

Le printemps verdit à nouveau dans la vallée et fait reculer le blanc sur les sommets. Le secret entourant la naissance de l'enfant, avec le retour de la belle saison, commence à se répandre dans le camp. Il n'est pas très grand, le petit ne pèse que huit kilos, mais son regard volontaire inspire la fierté. Il a appris à ne pas se faire remarquer et compris qu'il en allait de la vie de tous de ne pas pleurer. Le voudrait-il à présent qu'il n'en aurait pas le loisir, tant il est devenu le centre de l'attention. Celles qui n'ont pas eu d'enfants font la queue devant l'infirmerie de Mlle Kasser. À chaque heure du jour ou de la nuit, une nouvelle femme se présente pour lui offrir ses bras et son amour, le porter quelques instants et demander à ses amies : « Tu crois que cela m'irait bien ? » L'enfant du camp, à l'âge d'un an, montre ainsi ses gencives en souriant à chaque visage qu'il croise. D'abord réticente, Elsbeth se rend compte bien vite qu'elle ne peut endiguer le phénomène et qu'au lieu de délatrices, elle a là mille complices. « On ne peut prendre le risque de fêter son premier anniversaire le jour

de sa naissance sans créer de solides soupçons. »
Elsbeth est formelle. Eva et Lise le savent bien,
le cœur meurtri de ne pouvoir célébrer l'amour
qu'elles ressentent pour lui. « Mais j'ai à l'infirmerie beaucoup d'autres enfants, nous pourrions
attendre que cela soit l'anniversaire de l'un d'eux,
et ainsi nous aurions une excuse pour honorer le
sien », lui dit-elle en lui prenant le bras. « Bien
sûr, il faudra que ce soit un enfant encore trop
jeune pour parler et raconter l'événement, afin
de ne courir aucun risque. »

Le 6 août 1942, Schlomo Hermann fête ses
trois ans dans l'infirmerie. Il a le choléra, une
nouvelle épidémie sévit dans le camp. La baraque
empeste, mais le jour est à la joie. Elsbeth a réussi
à faire un gâteau. Rond, épais, il manque de sucre
mais les yeux de vingt enfants et dix mères s'écar-
quillent en le voyant. On profite du calme de la
matinée pour se réunir, échanger des prières puis
des banalités. Une retardataire arrive en trombes,
elle ne sourit pas. Elle a l'air d'avoir contemplé
la plus effrayante apparition qui soit.

« On rassemble à Oloron des dizaines de
wagons de marchandises, dit-elle enfin.

— Eh bien, j'espère que c'est pour nous apporter à manger ! Parce que le lait suisse, j'aime
bien, mais de la vache, je préfère la viande ! » dit
Suzanne avant de sortir pour ne pas manquer
l'arrivée des denrées.

« Les noirs ! Y a des noirs partout ! »
Suzanne regagne bientôt à grandes enjambées
la baraque.

« La police noire, le long des barbelés, ils sont partout, y en a un tous les deux mètres ! » explique-t-elle, le souffle coupé.

Eva la rejoint dehors, faisant signe aux autres de rester à l'intérieur. Partout où elle regarde, des uniformes de la police nationale. C'était jusqu'alors la police départementale qui surveillait le camp, leurs uniformes bleus faisaient partie du décor. Ils encerclent le camp, renforçant leur présence à toutes les issues. Suzanne se tient derrière son amie comme pour se cacher.

« Tu vois, plus aucun bleu, que des noirs ! Qui les a invités à la fête à ton avis ?

— On dirait des oiseaux de proie », juge Eva.

Ils sont en faction, d'une immobilité totale presque inhumaine.

Le commandant Grumel s'avance entre les longs uniformes noirs, ses cheveux plaqués en arrière, ses bottes, trop hautes, plissant à l'arrière de ses genoux à chaque pas, brillant d'un lustre qu'on ne leur a jamais vu. Il s'arrête au milieu du camp et, d'un signe de la main, déclenche la sirène du rassemblement. Le cri strident résonne jusque dans les os. Les noirs ouvrent les grilles des îlots, de gauche et de droite hommes et femmes affluent, se cherchent du regard, se retrouvent enfin. On entend un prénom prononcé comme une interrogation, un autre qui lui répond comme en écho. Tant de mois qu'on ne s'est pas embrassés. Au milieu des policiers, un ballet sans musique de corps se joue dans l'allée centrale du camp. Des cuisines, des infirmeries, de l'îlot des représailles, il en arrive de tous côtés. Peut-être que ça y est, la paix tant attendue a été signée ? On ose à peine y croire, et pourtant on est encore debout, c'est bien qu'on a survécu !

« Les amants ne sont réunis que pour mourir dans Shakespeare, murmure Eva à Lise, qui se tient à ses côtés.

— Mais nous sommes en France, et en zone libre qui plus est. »

Enfin Grumel s'adresse aux prisonniers.

« Le retour en Allemagne des internés juifs a été autorisé par l'État français. Par ordre du commandant, que chacun rassemble dès à présent ses affaires et se prépare à partir. À l'appel de leur nom, ils viendront se placer ici, par groupes de dix. Les couples mariés se présenteront par deux, les enfants avec leurs mères. »

Bianca sort de la foule comme une furie, s'approche de lui et vomit son dégoût.

« Qu'avez-vous fait ! Qu'avez-vous fait ! »

Elle frappe de ses deux poings la poitrine du commandant, transpirant sous la chaleur du mois d'août. Grumel ne peut, face à Bianca, garder le silence.

« Ils seront conduits dans des camps, certes, mais dans lesquels on porte des uniformes très seyants, installés dans de bons lits, bien nourris, et ils travailleront, pour la plupart, dans les usines allemandes, on me l'a assuré. »

Ce qui faisait le plus mal, ce n'était pas ses mots, mais son air satisfait. À Wannsee, dans la Villa Marlier aux claires couleurs d'été, le 20 janvier 1942, Hitler a décidé en moins de deux heures de mettre en œuvre la Solution finale de la question juive. Reinhard Heydrich, le maître d'œuvre, exige une collaboration sans entraves des pays soumis.

Un brigadier-chef tient dans sa main deux cahiers d'écolier. À l'intérieur, une longue liste écrite à la main. Sur chaque ligne, on trouve un nom, l'âge, la race, la nationalité, le convoi d'origine par lequel l'interné est parvenu à Gurs. La page de droite porte une annotation, celle destinée au criblage, vérifiant que le détenu répond aux critères imposés : homme ou femme juive, de nationalité étrangère, avec absence d'attaches françaises. Trois colonnes sont prévues à cet effet : Attaches françaises, Service militaire en France pendant la guerre, Observations. Les Allemands ont demandé de protéger certaines nationalités, les Hongrois, les Italiens, les Égyptiens ainsi que les Grecs. Pour ceux que le criblage n'a pas retenus, un tampon dateur est apposé sur la dernière colonne : 06AOU42.

Depuis la route centrale, il appelle, par ordre alphabétique, les noms de ceux qui prendront une route inconnue vers le soleil couchant. A, B, C, des centaines de femmes et d'hommes se tiennent alignés, debout dans la chaleur cuisante, pendant les longues heures de l'appel.

« 385 Hermann Schlomo 06 08 1939. » Les petits pieds avancent lentement sur le goudron.

Eva prie pour que le nom de Lise ne soit pas prononcé. « 890 Malher Lise 02 06 1910. » Après la lettre M, il se tait. Il n'a appelé que les noms commençant par une des treize premières lettres de l'alphabet, les autres, tétanisés, soulagés qu'un tel hasard les laisse hors de portée, sont heureux comme jamais de retrouver leurs baraques.

Devant la porte de l'infirmerie, Eva et Lise, deux femmes autrefois indésirables désormais interdites. Eva bégaie : « Je... nous... ils ne peuvent pas... » Lise a compris, rien ne sert de lutter. Eva la secoue par les épaules, comme pour faire jaillir dans sa conscience un soubresaut de révolte. Lise lève sa main droite et la gifle.

« Eva, regarde autour de toi... Parfois, résister, c'est savoir se dresser, parfois, c'est accepter dignement ce contre quoi on ne peut se battre. Nous avons ri, nous avons chanté, nous avons aimé. Nous avons lutté, mon amie, c'était une belle lutte. Je me suis sentie plus vivante à tes côtés que je ne le fus jamais. »

Elle parle sans prendre le temps de respirer, le temps lui est compté. Sa voix est claire et son visage apaisé.

> *Adieu, beaux rêves souriants du passé,*
> *Les roses de mes joues sont déjà fanées,*
> *Et l'amour d'Ernesto aussi me manque,*
> *Consolation, soutien de l'âme lasse !*
> *Consolation, soutien.*
> *Ah ! Souris à la femme égarée !*
> *Seigneur, pardonne-lui, reçois-la près de toi.*
> *Maintenant tout est achevé.*

« Tu te souviens, dans notre *Traviata*, des derniers mots de Violetta ? C'est grâce à toi si j'ai connu tout cela... Le petit n'a pas été appelé. Nous ne l'avons pas déclaré, il n'existe pas pour eux, c'est notre chance. »

336

Eva ne veut pas entendre, soudain Lise parle une langue étrangère.

« Cache-le, Eva, protège-le du mieux que tu peux, il a besoin de sa mère.

— Oui, il a besoin de toi, tu dois l'emmener avec toi, il est né dans un camp, il survivra à un autre.

— En Allemagne, il mourra de froid, tu le sais ! Je ne peux prévoir quelles seront les conditions là-bas, elles seront peut-être pires qu'ici. Le temps de la guerre, ce sera toi sa mère.

— Et après ?

— Je ne sais pas s'il y en aura un...

— Ne dis pas cela, enfin !

— Si je suis libérée, nous nous retrouverons à Paris, d'accord ?

— Je ne sais pas où tu pourras m'écrire. Nous devons décider maintenant d'un lieu où nous nous retrouverons sitôt la guerre terminée.

— Au Café de la Paix, face à l'Opéra, lui sourit Lise.

— Je t'y attendrai chaque jour. »

L'une et l'autre se font face en se tenant les mains. Lise caresse de son pouce les longs doigts d'Eva.

« Si cela devait durer... Que devrais-je lui dire ?

— Ne lui parle pas de moi avant qu'il ait l'âge de raison. Je ne veux pas qu'il grandisse avec l'ombre d'un absent qui lui rongerait le ventre et le tourmenterait de pourquoi. Mais chaque soir, chante-lui une berceuse, et chante-la pour moi aussi. Là où je serai, peut-être que je t'entendrai.

— Je n'ai même pas une photographie de toi. Il ne verra jamais les traits de sa mère, ni à quel point elle est la plus belle des femmes. »

De lourdes larmes coulent sur les joues d'Eva.

« Si, il la verra chaque matin en se levant, chaque soir en se couchant. Eva, ne l'élève pas comme un enfant confié. Oublie que c'est moi qui l'ai porté. Fais que jamais il ne se sente en exil d'un cœur aimant, que jamais il ne se sente rejeté en pensant qu'il ne vaut pas la peine que l'on vive pour lui. Je veux qu'il dise maman quand il aura de la joie ou du chagrin. Dis-moi que tu le feras. Dis-le, Eva.

— Je le ferai... Je serai sa mère. »

La traversée du camp par les appelés a sous le soleil quelque chose de misérable et cruel, un interminable cortège de gueux qui étaient arrivés en habits du dimanche et repartent amaigris. Les jeunes sont vieux, ils traînent derrière eux des baluchons ou des valises ficelés à la va-vite.

« Tu ne lui as pas donné de nom. »

Lise avait décidé de ne le faire qu'au retour d'Ernesto.

Ils sont près de mille à se tenir sur l'allée. Les gardes ont fini de fouiller les bagages pour confisquer les écuelles et les couvertures qui ont été données par l'administration française. Cela peut encore servir. Les policiers sortent leurs matraques, il est temps de mettre le convoi en marche.

« Noé... Parce qu'il nous sauvera du déluge. »

Lise ne peut retourner à l'intérieur de l'infirmerie embrasser Noé, si elle était suivie pour être ramenée auprès des autres, ils le découvriraient. Elle s'avance pour grossir les rangs des déportés.

Le défilé s'ébranle, Eva marche à côté d'elle, la tête droite, elle restera jusqu'au dernier moment, pour être là, pour voir, pour témoigner. On les répartit dans deux grands hangars Bessonneau situés de part et d'autre de l'entrée principale, les hommes à droite, les femmes à gauche. Les camions Dodge dans lesquels elles avaient été amenées deux ans auparavant apparaissent de nulle part. Le chargement commence. Certaines s'accrochent aux portes des hangars, s'arrachant les ongles. Eva, écartée de force du groupe, ne s'en va pas. Certains policiers serrent les dents, elle en voit qui pleurent.

« Où vont-ils ? S'il vous plaît ? s'adresse-t-elle à l'un d'eux, un homme qui a déjà des cheveux blancs et bien du mal à dominer son émotion.

— À Drancy, près de Paris. Mais ils n'y resteront pas.

— Et où iront-ils ensuite ?

— En Pologne. Dans un camp qui s'appelle Auschwitz. »

Eva regarde les visages passer à sa hauteur, ils sont des centaines, chacun a une expression qui dit son histoire, son passé. Soudain, elle ne voit plus que des petits enfants marcher avec d'immenses valises vers d'encore plus gigantesques camions. Lise sort enfin du hangar, elle marche en lui souriant, et tandis qu'elle avance vers le camion chante une dernière berceuse pour Eva.

Dors, mon enfant, dors,
Dors, mon enfant, dors.
Là-bas dans la ferme
Il y a un mouton blanc
Il veut mordre mon enfant.
Le berger arrive avec son violon
Il rassemble les moutons.

8

« Prenez des notes ! Notez donc, bougre d'em-
paffé ! Et transmettez au Préfet ! Cette nuit,
25 septembre 1943, entre trois heures et trois
heures trente du matin, trois hommes masqués
ont fait irruption dans le magasin d'armes situé
dans une des baraques du quartier des bureaux
et, revolver au poing, ont sommé le gardien qui y
couchait de ne pas faire de bruit. Voici ce qui a
été volé au cours de cette opération : 255 mousquetons (sur 290), 271 baïonnettes, 368 pistolets automatiques, 2 fusils-mitrailleurs modèle
1924, avec leurs 10 chargeurs, une de leurs deux
béquilles et 2 000 cartouches de FM, 17 000 cartouches de mousquetons, 8 190 cartouches de
pistolets automatiques, 230 bretelles de fusil,
70 ceinturons, 4 pantalons neufs de gardien, une
capote et 12 couvertures. D'autres individus, également masqués, se tenaient dans le couloir de
ladite baraque, alors que plusieurs autres encore
avaient été placés aux alentours pour surveiller
le corps de garde, où se trouvaient un brigadier
et dix gardiens. Les assaillants, dont on évalue le
nombre à une trentaine, sont des hommes âgés

de vingt à quarante ans. Lesdits assaillants ont ensuite chargé les armes et le matériel dans un camion qui stationnait sur la route de Mauléon. La clôture de fil de fer barbelé avait été coupée à cet effet sur une longueur de six mètres. Le camion a ensuite quitté les lieux en direction des îlots de prisonniers. À l'heure où nous parlons, nous avons perdu le contrôle du camp, attendons les ordres émanant du haut commandement. Commandant Raymond Grumel. »

Eva a ouvert les yeux la première, alertée par les voix d'hommes au fort accent béarnais qui avancent, munis de lampes à huile, dans la boue qui entoure les baraques. Elle regarde autour d'elle, elles ne sont plus que quatre indésirables à être encore là. Les convois en partance pour Drancy se succédaient et décimaient l'été 1942. Dehors, elle découvre à la faveur de la lune une dizaine d'hommes, qui font le tour des îlots pour réveiller les femmes. Elle se retrouve face à l'un d'eux, un gamin d'à peine dix-huit ans à la fine moustache, elle se met à trembler.

« *Nicht nazi, franzosiche* résistance ! Il faut partir, allez, allez ! »

Un autre l'attrape par la main

« Nous avons des complices parmi les gardes, mais la police sera là rapidement, il faut vous dépêcher. »

Elle n'a que le temps de jeter un œil vers la triste baraque, elle revoit la couche de Lise, celle de Sylta, de Bianca, les ficelles où elles suspendaient les vivres qu'elles avaient partagés, la pauvre ampoule qui tanguait depuis le plafond.

Elles ne sont plus là, mais sortir de l'endroit qui a été le leur devient soudain vertigineux, comme un abandon indicible. La liberté, maintenant qu'elle se présente, lui fait peur. Leur îlot est devenu son monde, elle en connaît la puanteur et les craquements, dehors les sons et les bruits lui seront étrangers. L'homme n'entend pas ses inquiétudes, il presse le pas. Sur la route centrale, ils sont plus de quatre-vingts à errer au milieu des résistants de l'Armée secrète qui font partie du secteur IV, celui de la Soule. Le chef des opérations est du maquis de Mauléon et de Navarrenx. L'alarme déchire le ciel, des deux côtés de la route centrale, aux entrées du camp, des phares s'allument, la police est là. Un homme sous un chapeau les guide en leur donnant les indications.

« Derrière l'îlot des représailles, le grillage a été entaillé, nous sortirons par là. »

Eva croit reconnaître la tonalité de la voix. Jamais son oreille ne se trompe. Elle s'approche de la forme au chapeau, et découvre le regard de Davergne.

« Internée, je vous ordonne de suivre ces hommes sans vous retourner.

— L'infirmerie... Mon enfant. »

Les policiers investissent le camp, les ombres courent vers l'îlot des représailles.

« Nous n'avons plus le temps, courez, maintenant ! »

Eva, saisie par les cris de celui qui est revenu pour lui sauver la vie, rejoint le flot de prisonniers. Pas un seul coup de feu n'a été tiré, en à peine une demi-heure le maquis a réussi à mettre en ordre de marche près de deux cents personnes. Elle passe à hauteur d'un des assaillants occupé à couper les lignes téléphoniques du camp et le saisit par le bras.

« Mon enfant... Il est caché dans l'infirmerie... Je vous en supplie, il est tout ce qui me reste. »

Ses yeux se posent sur l'homme, quelque chose lui semble familier. L'épaule, le torse, puis le cou, elle en reconnaît la forme, court et épais, son cœur s'accélère, la terre se met à bouger, le bitume perd consistance et se fait sable mouvant, un bourdonnement s'empare de ses oreilles, une locomotive arrive en gare entre ses deux yeux, elle voit le visage de Louis au-dessus d'elle, puis sa main, qui lui tapote la joue avec une douce fermeté. C'est lui ! Il la ranime avec douceur, au milieu de la confusion générale, lui dit avoir été fait prisonnier par les Allemands deux ans plus tôt lors de l'opération de sabotage à laquelle il a participé, au Luxembourg. Il s'est échappé à la faveur d'un transfert de camp, et a rejoint les forces de résistance. Il a été questionné durement et en porte les stigmates, il a tant maigri, mais c'est lui ! Jamais, durant ces années, la pensée d'Eva ne l'a quitté. Il avait écrit à sa voisine de l'avenue Daumesnil, elle l'avait informé du jour de son arrestation et du Vélodrome d'Hiver.

« Mais... Ta lettre...

Ton passé t'a retrouvé
Amour d'un jour toujours se sait.
Bientôt le souvenir disparaîtra et

Viendra le temps d'une nouvelle saison
Te délivrer du passé qui t'aura pardonné.

— Ton amour bientôt viendra te délivrer. Il fallait lire le premier mot de chaque ligne, c'est un code que le maquis m'a appris ! J'étais certain que tu comprendrais !

— J'ai cru que tu savais pour l'enfant, et que tu m'avais quittée, j'ai pensé mourir !

— Quel enfant ?

— Celui que j'ai eu, qui est à Munich !

— Pourquoi me demandais-tu d'aller le chercher ?

— Pas celui-là, l'autre, qui est caché dans l'infirmerie !

— Tu es une femme pleine de surprises. »

Louis ne comprend pas tout ce qu'elle dit, mais peu lui importe.

« Suis-les, je t'en prie, je vais trouver le petit.

— Il a un foulard bleu autour du poignet ! » lui crie-t-elle tandis qu'il s'approche de l'infirmerie.

Louis enfonce la porte qui, la nuit, est fermée à clé. Le bois cède sous les assauts et réveille le petit ange, dissimulé tout au fond, dans un panier à pique-nique, parmi les provisions. Âgé d'à peine deux ans, il regarde sans un cri l'effrayant monstre qui s'avance vers lui. Louis parcourt la pièce du regard et trouve en dessous du panier un sac en toile de jute destiné au transport des pommes de terre, placé là pour isoler le couffin de fortune de l'humidité. « Ne crie pas, papa est là », lui dit-il, tandis qu'il se saisit de lui et le place dans le sac. Les lampes des policiers se rapprochent à folle allure, il court vers l'îlot des représailles, passe devant les gardes qui ne bougent pas d'un pouce. Davergne l'attend et fait clignoter une lumière à l'endroit où le grillage est éventré. Les autres sont déjà embarqués à bord des deux camions stationnés dans la grange d'une ferme à une centaine de mètres de là. Le chauffeur, les voyant enfin arriver au loin, met le contact, la bête vrombit lourdement et crache une fumée qui les arrache en quelques secondes à l'enfer de Gurs.

Derrière eux, les voitures des policiers sont à l'arrêt. Les gardiens en ont crevé les pneumatiques pour protéger leur fuite. Louis retrouve Eva parmi les autres prisonniers entassés. Il dépose à ses pieds le précieux paquet qu'il a porté sur son épaule, l'ouvre délicatement. La petite créature ne pleure pas, elle est sonnée. Eva prend le petit garçon dans ses bras, alors il se laisse aller aux plaintes. Louis la regarde, les contours de son visage se dessinent à mesure que le jour pointe.

« Je n'ai plus rien à espérer, maintenant que je t'ai enfin retrouvée.

— Au contraire, maintenant il y a tout à espérer, mon amour. Se lever et marcher pour quelque chose de meilleur, espérer qu'un jour enfin la paix nous libérera des bras des puissants. La nuit ne sera plus inhumaine. Nous ne tremblerons plus. »

L'air est doux, il frémit dans ses cheveux. Elle est plus belle que jamais. Il lui sourit, les étreint tous deux de ses grands bras, elle place sa tête contre son cou, dans sa chaude odeur enfin son corps s'apaise. Elle n'a plus peur.

Le lendemain, Raymond Grumel est révoqué et inculpé en vue d'être déféré au parquet. Dans les semaines suivantes, le ministère de l'Intérieur ordonne la fermeture du camp de Gurs. La mousse verdit les tombes de celles qui ont défié la mort, la forêt recouvre les pas des femmes du Cabaret bleu. L'île aux indésirables sera bientôt ensevelie par la poussière du temps.

9

À Eva Platz, 12, rue Montsouris, Paris

2 avril 1962

Ma chère maman,

Je viens de fêter mes vingt et un ans à l'heure américaine, depuis New York, où je suis monté sur la plus haute des tours. J'ai regardé si de là-haut je pouvais apercevoir la tour Eiffel et notre appartement, mais le temps est nuageux ! Tu dois dormir à cette heure, et papa Louis doit encore être en train de préparer une manifestation d'ouvriers quelque part dans un café. C'est bon de ne pas le voir changer. Ici tout va si vite. Je te remercie d'avoir conservé toutes ces années la lettre de Lise. Tu m'as dit qu'elle était belle, si secrète. Elle a sûrement emporté avec elle, le 6 août 1942, une partie de moi, dont je ressentirai un manque semblable à celui d'un membre fantôme toute ma vie. Mais ma vraie mère n'est pas morte, elle est plus belle encore, puisqu'elle est avec moi chaque jour depuis vingt et un ans. La première que je me rappelle avoir vue, c'était toi, tes cheveux blonds si brillants qu'ils auréolaient ton visage d'un nuage d'or. Ne t'en fais pas pour les mèches blanches, papa Louis a dit qu'elles te donnaient un air distingué, il a raison.

Ma chère maman, depuis ce jour où tu m'as caché dans un sac de pommes de terre pour que l'on ne m'emmène pas, tu es devenue ma mère, à part entière. Tu ne m'as peut-être pas porté, mais ne dis-tu pas toujours qu'il faut plus qu'accoucher pour donner la vie à un être humain ? Depuis le premier jour, je me souviens seulement de ta voix, cela te paraît égoïste envers elle, je sais que tu pleures encore vingt ans après ton amie, mais pour moi il en est ainsi. J'aurais aimé connaître mon père Ernesto. Quel homme décide ainsi d'arrêter le convoi qui emmène celle qu'il aime pour y embarquer lui aussi ? Certains, durant mon enfance, m'ont plaint parce que j'avais perdu mes parents. Mais j'ai gagné quatre modèles de dévotion, de fidélité et d'amour. Je n'aurais souhaité d'autre mère que toi. À chaque pas que j'ai fait, je ne me suis jamais senti seul, et lorsque parfois je tombe, je songe que tu embrasses mon genou en me disant : « Ça aussi, ça passera. » Ma petite maman, aucune femme au monde n'aurait mérité mieux ce nom que toi. Et, bien que ce soit mon anniversaire, j'ai une surprise pour toi. Je viens d'être engagé ! Tu écris désormais au nouveau reporter du New York Times. Alors je te prie de ne plus me contredire ! J'entends papa Louis rire d'ici, tante Suzanne ronchonner, non je ne ferai pas la grille des mots croisés, je serai en charge de l'actualité européenne. Quoi de plus normal pour un homme dont le sang est juif et espagnol, et le cœur allemand autant que français ! Le monde est capable de vivre en paix, ma petite maman, puisqu'il existe en moi. Je t'adresse de tendres baisers, que j'enverrai demain depuis l'Empire State Building, je soufflerai plus fort, pour qu'ils arrivent jusqu'à Paris.

Ton Noé.

Remerciements

Merci à Cédric Chevalme, le premier de mes lecteurs,

À l'historien Jean-Loup Ménochet, qui m'a fait découvrir le premier l'histoire du camp de Gurs,

À Louise Danou, l'éditrice passionnée autant que dévouée de ce livre,

À Anna Pavlowitch, Gilles Haéri, Teresa Cremisi, ainsi que l'équipe des éditions Flammarion qui a collaboré à sa naissance,

À Ludovico Einaudi ainsi que Yann Tiersen, dont la musique en a accompagné l'écriture durant de nombreuses journées,

Merci à mon grand-père, Paul Ducret, 1925-2015, pour m'avoir appris avec pudeur le sens du mot « résister ».

12057

Composition
NORD COMPO

*Achevé d'imprimer en Espagne
par* CPI BOOKS
le 28 janvier 2018.

Dépôt légal : janvier 2018.
EAN 9782290150825
OTP L21EPLN002264N001

ÉDITIONS J'AI LU
87, quai Panhard-et-Levassor, 75013 Paris

Diffusion France et étranger : Flammarion